CUENTOS BREVES
LATINOAMERICANOS

- ARGENTINA
- BOLIVIA
- BRASIL
- CHILE
- COLOMBIA
- COSTA RICA
- CUBA
- ECUADOR
- EL SALVADOR
- GUATEMALA
- HONDURAS
- MÉXICO
- NICARAGUA
- PANAMÁ
- PARAGUAY
- PERÚ
- PUERTO RICO
- REPÚBLICA DOMINICANA
- URUGUAY
- VENEZUELA

Coedición *Latinoamericana*

Cuentos Breves Latinoamericanos

Edición coordinada por Aique Grupo Editor S. A.

Editora: Cecilia Pisos
Asesor literario: José Tarszys
Asistente editorial: Alina Baruj
Diseño de tapa: Gustavo Macri
Diseño de interiores y diagramación: Pablo Sibione
Traducciones: Sandra Cedrón ("La tejedora" y "Lágrimas congeladas") y José Tarszys ("Señal de los tiempos")
Corrección: Liliana Ferreirós y Gustavo Wolovelsky

© 1998 De esta antología:

Aique Grupo Editor S. A.; *Argentina*
Grupo Editorial Norma S. A.; *Colombia*
Ediciones Farben, Grupo Editorial Norma; *Costa Rica*
Editorial Piedra Santa; *Guatemala*
CIDCLI; *México*
Promoción Editorial Inca S.A. PEISA; *Perú*
Ediciones Huracán; *Puerto Rico*
Editora Taller; *República Dominicana*
Ediciones Ekaré; *Venezuela, Chile*

Hecho el depósito que previene la ley 11.723
LIBRO DE EDICION ARGENTINA
I.S.B.N. 950-701-513-2
Primera edición

Índice

Prólogo

Acercarnos al cuento breve es abordar una forma que se remonta a los orígenes mismos de la literatura. En sus comienzos, los relatos breves se intercalaban en las narraciones más extensas hasta que comenzaron a perfilarse con un sentido relativamente autónomo. Un cuento puede ser tan breve como un título. Aun así, el cuento breve no pierde su carácter de texto íntegro, de manera tal que la brevedad se suma a la integridad.

Actualmente se considera que un cuento es breve cuando el narrador trabaja con elementos muy precisos y concretos, es decir, cuando potencia un mínimo de elementos. Para Flannery O'Connor: "un cuento breve debe ser extenso en profundidad, y debe darnos la experiencia de un significado".[1] Para Juan Armando Epple estas formas narrativas de variada filiación cultural tienen un rasgo común y es justamente su notoria concisión discursiva.[2]

Irwing Howe delimitó un canon del relato breve que denominó "short short stories". En sus definiciones afirma que, mientras en un cuento hay espacio para mostrar la evolución de un personaje, en un cuento breve, la misma noción de personaje parece perder importancia. Más allá de que muchas de sus afirmacio-

---

[1] *O'Connor, Flannery: "Writing short-stories".* En Mystery and Manners. Occasional Prose. *N.York, Farrar, Straus & Giroux, 1989.*

[2] *Epple, Juan Armando:"Brevísima relación sobre el mini-cuento en Hispanomérica" en* Revista Puro cuento, *Mayo/Junio de 1988.*

nes son discutidas por la crítica, Howe coincide en que el poderoso efecto que tiene este brevísimo cuento en el lector --al igual que la poesía-- se relacionaría con la intensidad. Asimismo, considera que el enfoque único, que se construye en una sola escena, es otra de las técnicas que se relaciona directamente con la brevedad.[3]

Un cuento breve, entonces, más allá de los intentos de definición --por ejemplo, Enrique Anderson Imbert los bautizó "cuentos en miniatura"--, se construye con una sola anécdota, un sólo incidente, y el poderosísimo efecto que tiene en el lector depende de su intensidad.

Durante el siglo XIX, el cuento tuvo un gran desarrollo en América Latina. Sus raíces pueden encontrarse ya en las crónicas y en algunos textos narrativos de la época colonial. Pero su auge comienza fundamentalmente con el cuadro de costumbres que, combinado con otros elementos, dará como resultado un relato breve. Sin embargo, será con los modernistas como Manuel Gutiérrez Nájera, Rubén Darío y Leopoldo Lugones con quienes el cuento alcanzará autonomía y un mayor desarrollo.

En la segunda mitad del siglo XX, el cuento tuvo un notable crecimiento con figuras consagradas por la crítica y los lectores. Importantes escritores renovaron la ficción breve. En este sentido, la escritura de Juan Rulfo señala uno de los momentos claves de la literatura latinoamericana junto con Juan Carlos Onetti, Julio Cortázar, Jorge Luis Borges, Juan José Arreola, Augusto Monterroso y João Guimarães Rosa, entre otros.

La presente antología se preocupa por atender al desarrollo de las formas breves en América Latina. Para ello, reúne no sólo a las figuras más conocidas de nuestro continente sino que también, junto con los narradores consagrados, pone en circulación cuentistas provenientes de diversos países y cuya producción

---

[3] *Howe, Irving e Ilana Wienes Howe, (editores):* Short Shorts: An Anthology of the Shortest Stories, *Nueva York, Bantam Books, 1983.*

constituye una muestra de lo mejor que se escribe actualmente en Latinoamérica. También resaltan en ella algunos nombres de importantes escritoras como Cristina Peri Rossi, Ana Lydia Vega, Martha Cerda, Teresa Porzecanski y Bárbara Jacobs, entre otras. En esta selección se han considerado como criterios fundamentales además de la extensión, la presencia de una situación narrativa única, la variedad de los formatos posibles y la intensidad de los relatos.

Entre los cuentos elegidos se observa claramente la gran inclinación de los cuentistas latinoamericanos a producir ficciones fantásticas. Especialmente destacamos como procedimiento el quiebre de la cronología narrativa, en la que los hechos narrados no siguen el orden temporal exterior, como por ejemplo en el cuento "Tren" del argentino Santiago Dabove o en el relato "El regresivo" del hondureño Oscar Acosta. En el cuento "Hermano lobo" del colombiano Manuel Mejía Vallejo, el mundo de los no-humanos se impone al mundo de los humanos en una extraña y fraternal resolución, a la vez que su compatriota, Triunfo Arciniegas, trabaja en su relato "Pequeño mío" con una categoría de lo fantástico como la metamorfosis. Del mismo modo, lo sobrehumano se cuela en relaciones sorprendentes en el cuento "El violinista y el verdugo", de Fernando Ayala Poveda, también de Colombia. La confusión entre realidad y ficción es otro de los motivos preferidos por los escritores. El cuento de la brasileña Marina Colasanti, "La tejedora", nos recuerda algunas de las labores tradicionales reconocidas a las mujeres, tales como el tejido pero, en un giro inesperado, la protagonista vuelve a tomar las riendas de su vida y otra vez se llega a una resolución fantástica para el relato. Del mismo modo, el cuento "El hombre de hierro", de Canela, con un tono más bien propio de la poesía, nos presenta como protagonista, a "una mujer de seda" que logra diferenciarse para convertirse en estandarte y señal para los otros. Tampoco está ausente el mundo del "más allá" con sus muertos y resucitados. Siguiendo esta línea temática encontramos, por ejemplo, el cuento "Alma en pena", del guatemalteco José María López Baldizón.

Dentro del eje de lo fantástico que venimos considerando, hallamos algunos de los temas más frecuentados por los autores, tales como las relaciones entre los elementos de este mundo que rompen el orden reconocido: espacios, tiempos, causalidades, elementos inexplicables y absurdos que irrumpen en la vida de los personajes y que obligan al lector a dudar entre una explicación realista y una sobrenatural del mundo representado en el relato. Como exponentes del género fantástico, los siguientes cuentos presentan, en pocas líneas, inquietantes universos de sentido. Así, nos encontramos con "Bifurcaciones", del cubano Félix Sánchez Rodríguez, "El hombre-espejo", del ecuatoriano Vladimiro Rivas Iturralde, "Búsqueda", del chileno Daniel Pizarro y "Ropa usada 1", de su compatriota Pía Barros, "Tiempo libre", del mexicano Guillermo Samperio, "La otra muralla china", del costarricense José Ricardo Chaves, "Noción del alquimista llamado Dios y sus 300 jarrones", del hondureño Julio Escoto. "Tatuaje", "Los brazos de Kalym" y "Escena de un spaguetti western circus", de los venezolanos Ednodio Quintero, Gabriel Jiménez Emán y José Sequera respectivamente, son otros ejemplos análogos.

Entre los cuentos de ciencia ficción, caracterizados por una lógica científica que intenta sustentar la trama del relato, señalamos el cuento del brasileño Moacyr Scliar, "Lágrimas congeladas", dado que es un ejemplo típico. Asimismo, encontramos en varios cuentos rasgos de lo siniestro, tal como lo caracterizó Freud, como lo inquietante, lo desconocido, lo oculto, lo que aparece cuando lo familiar se vuelve amenazador. Así, "La broma póstuma" del dominicano Virgilio Díaz Grullón, "La casa muda" del panameño Dimas Lidio Pitty o "El fabricante de máscaras" de su compatriota Enrique Jaramillo Levi son claros exponentes de este motivo.

En esta selección no dejan de "mostrarse" algunas escenas urbanas, como la que se representa en el cuento "Una yunta" del costarricense Fernando Contreras Castro o en el de su compatriota Rodrigo Soto en "Microcosmos III", donde se nos remite a un tema que atraviesa a todos los países latinoamericanos, como es el del fanatismo deportivo, mediante un lenguaje que elige el registro de la oralidad. Entre otras de las escenas ciudadanas de esta antología destacamos las del cuento "Salto vital", de la portorriqueña Ana Lydia Vega, en el que el narrador protagonista produce una particular visión de los hechos.

También hay cuentos que presentan cierta incorporación a la literatura de otros discursos, como por ejemplo, el de los medios masivos de comunicación. El cine y la televisión aportan su singular estructura narrativa y temática; así, en el cuento "Boda en Las Vegas", del guatemalteco Otto Raúl González, aparecen personajes del cine de Hollywood mediados por el discurso televisivo con tono de magazine del corazón.

Desde la perspectiva del contenido, el cuento "Mármol en polvo", del boliviano Alfonso Gumucio Dagron, remite al poder político y a la corrupción de Estado. Leemos en el texto que "la plaga comenzó y terminó en el Palacio Temporal". Un diminuto gusano empezó a roer los cimientos del Palacio y ya nada pudo detenerlo. El cuento cierra la anécdota y nos deja con cierto regocijo al saber que finalmente, el palacio se derrumbó y "el último dictador" desapareció junto con toda su descendencia. Asimismo, el cuento "El contrato" del portorriqueño Celestino Cotto Medina, nos enfrenta al mundo de los "hampones" que en estos momentos parecen muy ocupados por el "maritaje entre narcos y políticos". Dentro del mismo eje, en "De las propiedades del sueño", del conocido novelista nicaragüense Sergio Ramírez, aparece nuevamente un país gobernado por una tiranía y las ansias de libertad de todo un pueblo: "en una hora de la noche claramente consignada, los ciudadanos soñarían que el tirano era derrocado y que el pueblo tomaba el poder". El relato nos conmueve porque toda lucha, aun la pacífica, pareciera que nos lleva a aceptar un destino trágico para los países del continente. En este sentido, el cuento "Inoportuno", de la uruguaya Teresa Porzecanski, recupera la memoria de un pueblo a través del personaje de un viejo que, al hablar, solamente "decía de un país que había extraviado su memoria, un país indeterminado donde habían ocurrido cosas irrecordables". Este personaje que "sabe" porque ha vivido, es el encargado de transmitir la historia para que la narradora-protagonista la "comprenda". El cuento "La noche" del dominicano Manuel Rueda, nos enfrenta a un tema caro a todos los pueblos del continente en horas de dictaduras: el miedo a ser testigo. El cuento nos refiere que, en una "noche oscura como el antifaz de los asesinos", un grito de terror queda ahogado por un disparo y, mientras agoniza la víctima, el vecindario queda paralizado por el miedo. Asimismo, el mundo del arte y su relación con la política queda representado en el personaje de Erasto que da vida a la escultura *El inconforme* en el cuento "Sudar como un caballo" del nicaragüense Lizandro Chávez Alfaro.

En otro de los ejes de esta selección vemos cómo el contenido de los relatos primigenios sirve a algunos autores como intertexto para la recreación, para el re-relato, para la inclusión de la anécdota. Así, nos encontramos con el cuento "Los animales en el arca" del argentino Marco Denevi, con "Fábula con joroba" del venezolano Wilfredo Machado, con "Señal de los tiempos" del brasileño João Carrascoza, con "El encuentro", del peruano Jorge Díaz Herrera.

En la antología también podemos identificar ciertos cuentos en los que el lenguaje y su sistema de selección, la relación entre significado y significante, aparecen tematizados: "En el origen", del paraguayo Mario Halley Mora y "Bautizar las palabras", del chileno Alfonso Alcalde son ejemplos de estas indagaciones metalingüísticas. Asimismo, el registro de la oralidad y los distintos tipos de lenguaje quedan plasmados en los dos cuentos del peruano Antonio Gálvez Ronceros, "Miera" y "El mar, el machete y el hombre", así como también en "La carta", del portorriqueño José Luis González. En algunos otros relatos, podemos apreciar la leve frontera que los separa del chiste, ya sea por la anécdota o por el empleo inusual de términos, como en el cuento "Padre Nuestro que estás en los cielos", del chileno José Leandro Urbina o en "Ernesto el embobado", del salvadoreño José María Méndez. En otros cuentos, la brevedad abre paso a reflexiones de vida entre poéticas y filosóficas, como en "El avaro", del peruano Luis Loayza.

Asimismo, resaltamos también, en esta selección, la variedad de recursos que van desde el monólogo del cuento "Enano" del uruguayo Gley Eyherabide hasta el caso extremo y opuesto del cuento de Eliseo Diego, "El Señor de la Peña", en el que diferentes voces entretejen el hecho narrado desde distintos puntos de vista.

El lector podrá encontrar además en esta antología algunos de los cuentos breves latinoamericanos escritos y consagrados durante las últimas décadas, tales como "La migala" del mexicano Juan José Arreola, "El eclipse" del guatemalteco Augusto Monterroso, "El hombre y su sombra" del salvadoreño Alvaro Menen Desleal, "El reino endemoniado" del argentino Enrique Anderson Imbert, "El soldado" del dominicano Marcio Veloz Maggiolo o "El pequeño rey zaparrastroso" del uruguayo Eduardo Galeano.

Creemos que al poner en circulación relatos poco conocidos junto con aquellos consagrados por lecturas y crítica, esta antología logrará cautivar nuevos lectores y los hará disfrutar de algunos de los mejores cuentos breves escritos en Latinoamérica.

Alejandra Torres
Universidad de Buenos Aires

·ARGENTINA

ENRIQUE ANDERSON IMBERT

El reino endemoniado

De los cuatro puntos cardinales del mundo acudieron cuatro magos, convocados por el rey para que pusieran coto a los sucesos extraordinarios que enloquecían a los súbditos y alteraban la estabilidad misma del reino. Antes, debían probar sus poderes.

Fueron al patio, en cuyo centro había una gran higuera. El primer mago cortó unas ramitas, las convirtió en huesos y armó un esqueleto. El segundo lo modeló con higos que se convirtieron en músculos. El tercero envolvió todo con una piel de hojas. El cuarto exclamó: "¡Que viva!"

El animal así creado resultó ser un tigre, que devoró a los cuatro magos.

Probaron así sus poderes, pero lejos de resolver el mal lo empeoraron pues ahora el tigre, que había huido al bosque, solía volver para comerse al primero que encontrara. Los cazadores que partieron en su busca no lo hallaban o sucumbían bajo sus garras.

El rey tenía una hija, famosa por su sonrisa. Sonreía, y desarmaba a todo el mundo. Conmovida por la aflicción de su padre, la princesa, sin avisarle, fue a amansar al tigre con su sonrisa. Esa misma tarde la amansadora princesa y el ya amansado tigre regresaron al palacio; la princesa, adentro, y su sonrisa, en la cara del tigre. ....

Enrique Anderson Imbert nació en Córdoba en 1910.
Obras: Las pruebas del caos. *Cuentos (1946);* El gato de Cheshire. *Cuentos (1965);*
La botella de Klein. *Cuentos (1975);* El tamaño de las brujas. *Cuentos (1986);*
Evocación de sombras en la ciudad geométrica. *Novela (1989),*
El anillo de Mozart. *Cuentos (1990);* ¡Y pensar que hace diez años! *Cuentos (1994)*

Tren

El tren era el de todos los días a la tardecita, pero venía moroso, como sensible al paisaje.

Yo iba a comprar algo por encargo de mi madre.

Era suave el momento, como si el rodar fuera cariño en los lúbricos rieles. Subí y me puse a atrapar el recuerdo más antiguo, el primero de mi vida. El tren se retardaba tanto que encontré en mi memoria un olor maternal: leche calentada, alcohol encendido. Esto hasta la primera parada: Haedo. Después recordé mis juegos pueriles y ya iba hacia la adolescencia, cuando Ramos Mejía me ofreció una calle sombrosa y romántica, con su niña dispuesta al noviazgo. Allí mismo me casé, después de visitar y conocer a sus padres y el patio de su casa, casi andaluz. Ya salíamos de la iglesia del pueblo, cuando oí tocar la campana; el tren proseguía el viaje. Me despedí, y como soy muy ágil, lo alcancé. Fui a dar a Ciudadela, donde mis esfuerzos querían horadar un pasado quizás imposible de resucitar en el recuerdo.

El jefe de estación, que era mi amigo, acudió para decirme que aguardara buenas nuevas, pues mi esposa me enviaba un telegrama anunciándolas. Yo pugnaba por encontrar un terror infantil (pues los tuve), que fuera anterior al recuerdo de la leche calentada y del alcohol. En eso llegamos a Liniers. Allí, en esa parada tan abundante en tiempo presente, que ofrece el ferrocarril Oeste, pude ser alcanzado por mi esposa que traía los mellizos vestidos con ropas caseras. Bajamos y, en una de las resplandecientes tiendas que tiene Liniers, los proveíamos de ropas estándares, pero elegantes, y también de buenas carteras de escolares y libros. En seguida alcanzamos el mismo tren en que íbamos y que se había demorado mucho, porque antes había otro tren descargando leche. Mi mujer se quedó en Liniers, pero ya en el tren, gustaba de ver mis hijos tan floridos y robustos hablando de fútbol y haciendo los chistes que la juventud cree inaugurar. Pero en Flores me aguardaba lo inconcebible; una demora por un choque con vagones y un accidente en un paso a nivel. El jefe de la estación de Liniers, que me conocía, se puso en comunicación telegráfica con el de Flores. Me anunciaban malas noticias. Mi mujer había muerto, y el cortejo fúnebre trataría de alcanzar el tren que estaba detenido en esta última estación. Me bajé atribulado, sin poder enterar de nada a mis hijos, a quienes había mandado adelante para que bajaran en Caballito, donde estaba la escuela.

En compañía de unos parientes y allegados, enterramos a mi mujer en el cementerio de Flores, y una sencilla cruz de hierro nombra e indica el lugar de su detención invisible. Cuando volvimos a Flores, todavía encontramos el tren que nos acompañara en tan felices y aciagas andanzas. Me despedí en el Once de mis parientes políticos y, pensando en mis pobres chicos huérfanos y en mi esposa difunta, fui como un sonámbulo a la "Compañía de Seguros", donde trabajaba. No encontré el lugar.

Preguntando a los más ancianos de las inmediaciones, me enteré de que habían demolido hacía tiempo la casa de la "Compañía de Seguros". En su lugar se erigía un edificio de veinticinco pisos. Me dijeron que era un ministerio donde todo era inseguridad, desde los empleos hasta los decretos. Me metí en un ascensor, y ya en el piso veinticinco, busqué furioso una ventana y me arrojé a la calle. Fui a dar al follaje de un árbol coposo, de hojas y ramas como de higuera algodonada. Mi carne, que ya se iba a estrellar, se dispersó en recuerdos. La bandada de recuerdos, junto con mi cuerpo, llegó hasta mi madre. "¡A que no recordaste lo que te encargué!", dijo mi madre, al tiempo que hacía un ademán de amenaza cómica: "Tienes cabeza de pájaro". ....

Santiago Dabove nació en Morón, provincia de Buenos Aires, en 1889 y murió en 1951.
Obras: La muerte y su traje. *Cuentos (1961).*

Los animales en el arca

Sí, Noé cumplió la orden divina y embarcó en el arca un macho y una hembra de cada especie animal. Pero durante los cuarenta días y las cuarenta noches del diluvio ¿qué sucedió? Las bestias ¿resistieron las tentaciones de la convivencia y del encierro forzoso? Los animales salvajes, las fieras de los bosques y de los desiertos ¿se sometieron a las reglas de la urbanidad? La compañía, dentro del mismo barco, de las eternas víctimas y de los eternos victimarios ¿no desataría ningún crimen? Estoy viendo al león, al oso y a la víbora mandar al otro mundo, de un zarpazo o de una mordedura, a un pobre animalito indefenso. ¿Y quiénes serían los más indefensos sino los más hermosos? Porque los hermosos no tienen otra protección que su belleza. ¿De qué les serviría la belleza en un navío colmado de pasajeros de todas clases, todos asustados y malhumorados, muchos de ellos asesinos profesionales, individuos de mal carácter y sujetos de avería? Sólo se salvarían los de piel más dura, los de carne menos apetecible, los erizados de púas, de cuernos, de garras y de picos, los que alojan el veneno, los que se ocultan en la sombra, los más feos y los más fuertes. Cuando al cabo del diluvio Noé descendió a tierra, repobló el mundo con los sobrevivientes. Pero las criaturas más hermosas, las más delicadas y gratuitas, los puros lujos con que Dios, en la embriaguez de la Creación, había adornado el planeta, aquellas criaturas al lado de las cuales el pavorreal y la gacela son horribles mamarrachos y la liebre una fiera sanguinaria, ay, aquellas criaturas no descendieron del arca de Noé. ....

Marco Denevi nació en Sáenz Peña, provincia de Buenos Aires, en 1922.
Obras: Rosaura a las diez. Novela (1955); Ceremonia secreta. Nouvelle (1960);
Robotobor. Cuentos (1983); Furmila la hermosa. Cuentos (1986); Cartas peligrosas. Cuentos (1987);
El amor es un pájaro rebelde. Cuentos (1993); Cuentos selectos (1998).

El hombre de hierro

Había una vez un hombre de hierro. Era fuerte. Sus músculos eran de hierro, podía hacer cualquier trabajo. Sus piernas eran de hierro, podía caminar incansablemente. Su cabeza era de hierro, podía ser golpeado sin sentirlo. Sus pensamientos eran firmes como el hierro. Sus manos eran de hierro, podían tomar con firmeza lo que querían. Su pene era de hierro y siempre estaba erguido. Su corazón también era de hierro, sus sentimientos le pesaban mucho. A veces le resultaban insoportables.

Un día el hombre de hierro se enamoró de una mujer de seda. La mujer de seda tenía la piel casi transparente. Sus ojos, su mirada, eran de seda. Sus manos de seda podían realizar los más delicados trabajos. Sus pies de seda pisaban sin dejar huella. Sus brazos de seda eran impalpalbes cuando abrazaban. Su pelo de seda caía como una cascada sobre sus frágiles hombros de seda. Su vagina era un hueco de seda incandescente. Su voz de seda a veces no podía expresar la compleja urdimbre de su corazón de seda.

El hombre de hierro tomó a la mujer de seda entre sus brazos y quedó envuelto en ella. Caminó por el campo, comenzó a llover. Llovió mucho. La mujer de seda quedó empapada, pegada al hombre de hierro. El hombre de hierro seguía caminando con los pies metidos en el barro. Su peso lo hundía, lo hundía cada vez más. Trató de desprenderse de la mujer de seda para que no se hundiera con él. Pero ella estaba anunada a su cuello de hierro. El viento sacudía a la mujer de seda como un jirón lastimado. Cesó la lluvia. El cuerpo de la mujer de seda se desplegó en el aire y comenzó a flamear. Como una bandera, como una llama de color.

Fue una señal para los otros. Pronto llegarían a rescatar al hombre de hierro que ya estaba casi hundido en la tierra. ...... •

Gigliola Zecchin de Duhalde (Canela) nació en Vicenza, Italia, en 1942.
Obras: Marisa que borra. *Cuentos (1988);* Para cuando llueve. *Poesía (1990);*
Boca de sapo. *Cuentos (1992);* Letras en el jardín. *Cuentos (1994);* Barco Pirata. *Cuentos (1996);*
Lola descubre el aire y Lola cuenta patos. *Cuentos. (1996).*

El hombre de hierro

·BOLIVIA

• DAGRON

ALFONSO GUMUCIO DAGRON

Mármol en polvo

La plaga comenzó y terminó en el Palacio Temporal. Fue el día aquel de los fuegos artificiales, cuando el Sargento Martínez, Jefe de Cocina, bajó a la cava de vinos para buscar una botella de Nuit St. Georges 1943. Andaba bastante falto de equilibrio luego de haber descorchado y probado las catorce botellas precedentes, de manera que en el pasillo del sótano oscuro iba rebotando entre las paredes de mármol. Fue entonces que, al apoyar una mano a tientas, sintió que el muro se hundía esponjoso cual si se hubiera reblandecido tanto como él a causa del vino.

Al día siguiente los empleados comentaron la huella de una palma de mano impresa en el mármol con todos los detalles, incluyendo la línea de la vida quebrada mucho antes de tomar la curva de la longevidad. El Sargento Martínez no recordaba nada y el incidente pasó al olvido hasta que se reprodujo un mes más tarde y luego casi cotidianamente, a plena luz del día y sin que mediaran botellas de vino. Los pilares de mármol en el primer piso del palacio perdieron de pronto su personalidad de hielo, los muros se reblandecieron como cal mal fraguada y comenzaron a desmoronarse al menor contacto.

Los expertos llegados de Italia estaban a punto de atribuir el mal del mármol al sofocante calor del trópico, que amenazaba con desmoronarlos a ellos, pero fue entonces que, encerrados con un microscopio en la cámara frigorífica, encontraron en el polvo de una vena de mármol los huevos de un gusano diminuto. Nada pudieron contra él. Todas las mezclas de insecticida fueron inútiles y ni siquiera impidieron que el rumor se regara por la capital y luego por la provincia, provocando gran regocijo popular y un motín en la guarnición fronteriza.

El gusano multiplicado incesantemente continuó su prolífica labor. El mármol local y el importado de Carrara cedían por igual cancerados por diminutas porosidades, túneles comunicantes, inexpugnables laberintos microscópicos. No había noche que no se derrumbara un pilar con su silenciosa manera de polvo, inutilizando progresivamente los lugares más ostentosos del Palacio Temporal. Más de una vez el Jefe de Guardia sorprendió a los empleados y al propio Sargento Martínez derribando de un soplido los pilares, al amparo de la oscuridad.

El día que el palacio entero se vino abajo lo hizo sin estrépito, como si la inmensa nube de polvo hubiese ahogado las vibraciones sonoras. Todo lo que se vio, desde lejos, fue el hongo que se elevaba silencioso, transfigurándose progresivamente en un árbol, un paraguas, un arcoiris seco. Al asentarse un mes más tarde, el polvo blancuzco resultó tener un alto valor nutritivo como alimento balanceado para gallinas, quizás por el mineral del mármol, quizás por la carne de los gusanos microscópicos, quizás por los nutrientes del último dictador que allí desapareció con toda su descendencia. ....

Alfonso Gumucio Dagron, nació en Bolivia en 1950.
Obras: Provocaciones. *Ensayos (1977);* Seis nuevos narradores bolivianos. *Cuentos (1979);*
Razones técnicas. *Poesía (1980);* La máscara del gorila. *Testimonio (1982);* Sobras completas. *Poesía (1984).*

·BRASIL

Señal de los tiempos

La pareja se detuvo en mitad del camino para descansar. Estaban los dos cansados de tanto huir. Se cobijaron en un establo, al costado de la carretera, y enseguida la mujer sintió las primeras señales. Había sido una parada providencial, el momento y el lugar adecuados para que naciera el niño. Nadie sospecharía de un establo en medio de una carretera desierta.

En esa noche, bajo la luz sin pausa de una estrella, la mujer sufrió intensamente los dolores del parto. La madrugada ya estaba alta cuando, entre sus gemidos sordos, se distinguió un extraño vagido.

Miraron al niño, atónitos. Pero se cuidaron de no caer en el mismo error del pasado. Aprovecharon restos de madera que por allí había y separaron dos trozos, preparando el ritual. Fueron rápidos. El marido, carpintero, tenía mucha práctica.

Allí mismo crucificaron al niño. Luego juntaron los animales y siguieron viaje.

João Anzanello Carrascoza nació en Cravinhos, Estado de San Pablo, en 1962.
Obras: Hotel Soledad. *Cuentos (1994);*
La luna del futuro. *Novela juvenil (1995);* El vaso azul. *Cuentos (1998).*

La tejedora

Se despertaba cuando todavía estaba oscuro, como si pudiera oír al sol llegando por detrás de los márgenes de la noche. Luego, se sentaba al telar.

Comenzaba el día con una hebra clara. Era un trazo delicado del color de la luz que iba pasando entre los hilos extendidos, mientras afuera la claridad de la mañana dibujaba el horizonte.

Después, lanas más vivaces, lanas calientes iban tejiendo hora tras hora un largo tapiz que no acababa nunca.

Si el sol era demasiado fuerte y los pétalos se desvanecían en el jardín, la joven mujer ponía en la lanzadera gruesos hilos grisáceos del algodón más peludo. De la penumbra que traían las nubes, elegía rápidamente un hilo de plata que bordaba sobre el tejido con gruesos puntos. Entonces, la lluvia suave llegaba hasta la ventana a saludarla.

Pero si durante muchos días el viento y el frío peleaban con las hojas y espantaban los pájaros, bastaba con que la joven tejiera con sus bellos hilos dorados para que el sol volviera a apaciguar a la naturaleza.

De esa manera, la muchacha pasaba sus días cruzando la lanzadera de un lado para el otro y llevando los grandes peines del telar para adelante y para atrás.

No le faltaba nada. Cuando tenía hambre, tejía un lindo pescado, poniendo especial cuidado en las escamas. Y rápidamente el pescado estaba en la mesa, esperando que lo comiese. Si tenía sed, entremezclaba en el tapiz una lana suave del color de la leche. Por la noche, dormía tranquila después de pasar su hilo de oscuridad.

Tejer era todo lo que hacía. Tejer era todo lo que quería hacer.

Pero tejiendo y tejiendo, ella misma trajo el tiempo en que se sintió sola, y por primera vez pensó que sería bueno tener al lado un marido.

No esperó al día siguiente. Con el antojo de quien intenta hacer algo nuevo, comenzó a entremezclar en el tapiz las lanas y los colores que le darían compañía. Poco a poco, su deseo fue apareciendo. Sombrero con plumas, rostro barbado, cuerpo armonioso, zapatos lustrados. Estaba justamente a punto de tramar el último hilo de la punta de los zapatos cuando llamaron a la puerta.

Ni siquiera fue preciso que abriera. El joven puso la mano en el picaporte, se quitó el sombrero y fue entrando en su vida.

Aquella noche, recostada sobre su hombro, pensó en los lindos hijos que tendría para que su felicidad fuera aún mayor.

Y fue feliz por algún tiempo. Pero si el hombre había pensado en hijos, pronto lo olvidó. Una vez que descubrió el poder del telar, sólo pensó en todas las cosas que éste podía darle.

—Necesitamos una casa mejor— le dijo a su mujer. Y a ella le pareció justo, porque ahora eran dos. Le exigió que escogiera las más bellas lanas color ladrillo, hilos verdes para las puertas y las ventanas, y prisa para que la casa estuviera lista lo antes posible.

Pero una vez que la casa estuvo terminada, no le pareció suficiente.

—¿Por qué tener una casa si podemos tener un palacio?— preguntó. Sin esperar respuesta, ordenó inmediatamente que fuera de piedra con terminaciones de plata.

Días y días, semanas y meses trabajó la joven tejiendo techos y puertas, patios y escaleras y salones y pozos. Afuera caía la nieve, pero ella no tenía tiempo para llamar al sol. Cuando llegaba la noche, ella no tenía tiempo para rematar el día. Tejía y entristecía, mientras los peines batían sin parar al ritmo de la lanzadera.

Finalmente el palacio quedó listo. Y entre tantos ambientes, el marido escogió para ella y su telar el cuarto más alto, en la torre más alta.

—Es para que nadie sepa lo del tapiz —dijo. Y antes de poner llave a la puerta le advirtió: —Faltan los establos. ¡Y no olvides los caballos!

La mujer tejía sin descanso los caprichos de su marido, llenando el palacio de lujos, los cofres de monedas, las salas de criados. Tejer era todo lo que hacía. Tejer era todo lo que quería hacer.

Y tejiendo y tejiendo, ella misma trajo el tiempo en que su tristeza le pareció más grande que el palacio, con riquezas y todo. Y por primera vez pensó que sería bueno estar sola nuevamente.

Sólo esperó a que llegara el anochecer. Se levantó mientras su marido dormía soñando con nuevas exigencias. Descalza, para no hacer ruido, subió la larga escalera de la torre y se sentó al telar.

Esta vez no necesitó elegir ningún hilo. Tomó la lanzadera del revés y, pasando velozmente de un lado para otro, comenzó a destejer su tela. Destejió los caballos, los carruajes, los establos, los jardines. Luego destejió a los criados y al palacio con todas las maravillas que contenía. Y nuevamente se vio en su pequeña casa y sonrió mirando el jardín a través de la ventana.

La noche estaba terminando, cuando el marido se despertó extrañado por la dureza de la cama. Espantado, miró a su alrededor. No tuvo tiempo de levantarse. Ella ya había comenzado a deshacer el oscuro dibujo de sus zapatos y él vio desaparecer sus pies, esfumarse sus piernas. Rápidamente la nada subió por el cuerpo, tomó el pecho armonioso, el sombrero con plumas.

Entonces, como si hubiese percibido la llegada del sol, la muchacha eligió una hebra clara. Y fue pasándola lentamente entre los hilos, como un delicado trazo de luz que la mañana repitió en la línea del horizonte. ....

Marina Colasanti nació en Asmara, Etiopía, en 1937.
Obras: Cuentos de amor desgarrados. (1986); Ofelia la oveja. Cuentos (1989);
La mano en la masa. Cuentos de hadas (1990); Entre la espada y la rosa. Cuentos (1992).

Lágrimas congeladas

Existe un hombre que colecciona lágrimas. Comenzó en la adolescencia y ya tiene cincuenta y dos años, pero su colección, basada en ciertos criterios —secretos aunque seguramente rigurosos—, no es grande.

A mucha gente le gustaría conocer la famosa colección. Pero el hombre no lo permite. Las lágrimas congeladas están guardadas en el sótano de su propia residencia, una casa situada en lo alto de una colina, rodeada por altos muros y protegida por feroces perros. Los pocos visitantes que estuvieron allí hablan de las extraordinarias medidas de seguridad. El portón principal está vigilado por dos hombres armados. Ellos verifican la identidad de las personas que el coleccionista acepta recibir y luego los conducen a una psicóloga que, por medio de una entrevista, indaga los motivos conscientes e inconscientes de la visita. Finalmente, los visitantes son sometidos a una prueba: dada una señal, deben comenzar a llorar. Esta prueba se realiza en una salita sin muebles y con las paredes totalmente desnudas, a excepción de un pequeño cuadro con la siguiente inscripción: *Bienaventurados los que lloran...* (La frase termina así, con puntos suspensivos. ¿Acaso una ironía sutil? ¿Un homenaje a la inteligencia de quien la lee? ¿Una sugerencia de que puede haber otra recompensa para las lágrimas que no sea el reino de los cielos —tal vez las propias lágrimas? ¿Un obstáculo adicional al llanto, representado por una apelación a la curiosidad?)

El extraño visitante que vence todas las etapas de esta difícil selección es conducido hasta el coleccionista. Se ve entonces frente a un hombre alto, robusto, elegantemente vestido. Amablemente, pero sin efusividad, es invitado a sentarse. El hombre realiza un breve relato histórico sobre la colección. Explica que la idea de guardar lágrimas se le ocurrió el día en que le obsequiaron un *lacrimarium*, ese frasco minúsculo usado por los romanos (por los que siente admiración) para recoger las lágrimas.

Da una disertación sobre el llanto. Llorar, aclara, exige un aprendizaje; el niño pequeño no llora, grita de frío, de hambre, de dolor. La técnica del llanto es algo que se va incorporando, poco a poco, a los mecanismos de la expresión individual. Llega al clímax en la madurez (y luego declina —tanto que, según Max Frisch, los moribundos no derraman lágrimas); de allí la necesidad de preservar los recuerdos de esta fase.

Terminada la explicación, el hombre invita al visitante a acompañarlo. Descienden al sótano por una escalera de caracol. Allí, en un estante refrigerado, construido especialmente para ese fin, están las famosas lágrimas congeladas: perlas de hielo sobre láminas de vidrio. Junto a cada una de ellas, una tarjeta con explicaciones. Por ejemplo: "Lágrima derramada en diciembre de 1965, con motivo del fallecimiento de mi querido hermano. Causa de la muerte: accidente cerebrovascular. Hecho ocurrido al mediodía. Llanto iniciado cuarenta segundos después. Flujo máximo de lágrimas, alcanzado en, aproximadamente, dos minutos. Duración total del llanto, una hora (con períodos de calma y hasta risas incoherentes). Número estimado de lágrimas derramadas, treinta y dos (diecisiete por el ojo izquierdo, quince por el derecho). La presente lágrima fue recogida del ojo derecho, en una escapada furtiva al baño. Recolección precedida por una intensa mirada dirigida al rostro reflejado en el espejo y por inquietantes preguntas sobre el sentido y la calidad de la vida".

En las paredes, el visitante ve algunas fotos. Son de personas que, se supone, tienen que ver con el origen de las lágrimas: el padre, la madre, una hermana del coleccionista, todos fallecidos; el director del banco que una vez llevó a la ruina a la empresa del coleccionista, una bella joven sobre la que no hay ningún comentario.

La visita termina. Con una pálida sonrisa, el coleccionista se despide del visitante. No habla de sus temores, pero uno de ellos es obvio: teme desperfectos en el sistema de refrigeración. Si se elevara la temperatura del estante, las lágrimas se evaporarían enseguida, y la tenue nube que tal vez se formase podría al menos empañar el espejo que cuelga de una de las paredes. Y, una vez disipada, habría llegado a su fin la famosa colección de lágrimas congeladas. ·········

Moacyr Scliar nació en Porto Alegre en 1937.
Obras: El carnaval de los animales. *Cuentos (1968);* La balada del falso Mesías. *Cuento (1976);*
El centauro en el jardín. *Novela (1980);* La oreja de Van Gogh. *Cuentos (1989);*
Sueños tropicales. *Novela (1992);* Los cuentistas. *Cuentos (1997).*

CHILE

- Alcalde
- Barros
- Pizarro
- Urbina

Bautizar las palabras resulta un verdadero rompecabezas

El que descubrió el agua reconoce que fue por casualidad. Luego se le metió en la cabeza inventar el fuego. Pero su problema más grande consistía en descubrir un nombre para cada cosa, porque nada estaba bautizado y no había ninguna diferencia –hasta ese momento– entre un caballo y un teléfono. Si decía "árbol", ningún árbol se daba por enterado moviendo las alas en señal de comprensión o complicidad. Al decir "perro", nadie movía la cola. Si nombraba "vaca", bien le contestaba una gaviota, un monopatín, algún submarino. Si se ponía a juntar los pedazos de lo que iba a ser la primera campana y después le ponía un nombre antojadizo como "piano", por ejemplo, todo quedaba en silencio nadando en el misterio como si una gran sordera hubiera invadido la Tierra cuando todo humeaba después de los orígenes. Entonces se le ocurrió decir "niño" y fue a buscar uno al colegio y lo sorprendió copiando una tarea de su compañero de banco. Después de mucho discutir pudo llegar a un acuerdo con el profesor jefe. La gente mayor, los que ya podían hacer uso de la bicicleta, levantar una casa, desnudar una mujer, ser rey de algo, ésos se llamarían "padre" y en cambio, los más pequeños, los que eran capaces de obedecer, casi ciegamente, de usar ropa más reducida, de entretenerse tirándole piedras a un anciano vagabundo, esos se iban a llamar "hijos", de ahora en adelante. ....;

Alfonso Alcalde nació en Punta Arenas en 1921 y murió en 1992.
Obras: Balada para la ciudad muerta. *Poesía (1947)*; El panorama ante nosotros. *Poesía. (1969)*;
El auriga Tristán Cardenilla y otros cuentos *(1971)*; Las aventuras de El Salustio y
El Trúbico. *Cuentos (1973)*; Epifanía cruda. *Cuentos (1974)*; Alfonso Alcalde en cuento *(1992)*.

Ropa usada 1

Un hombre entra a la tienda. La chaqueta de cuero, gastada, sucia, atrapa su mirada de inmediato. La dependienta musita un precio ridículo, como si quisiera regalársela. Sólo porque tiene un orificio justo en el corazón. Sólo porque tras el cuero, el chiporro blanco tiene una mancha rojiza que ningún detergente ha podido sacar. El hombre sale feliz a la calle.

A pocos pasos, unos hombres enmascarados disparando desde un callejón. Una bala hace un giro en ciento ochenta grados de su destino original. Se diría que la bala tiene memoria. Se desvía y avanza, gozosa, hasta la chaqueta. Ingresa, conocedora, en el orificio. El hombre congela la sonrisa ante el impacto.

La dependienta, corre a desvestirlo y a colgar nuevamente la chaqueta en el perchero. Lima sus uñas distraída, aguardando. ....

Pía Barros nació en Santiago en 1956.
Obras: Miedos transitorios. *Cuentos (1986);* A horcajadas. *Cuentos (1990);*
El tono menor del deseo. *Novela (1991);* Signos bajo la piel. *Novela (1994).*

Búsqueda

El viaje continuó por una espesa selva entre los médanos. Sólo escuchábamos el murmullo de los pantanos y el chapoteo de nuestros caballos. Al anochecer atamos las bestias a un sauce gigantesco y nos cobijamos, Eleazar y yo, bajo un cielo de ramas lánguidas. Allí me refirió la historia del lugar dominado por las ideas. Despertamos envueltos en una niebla violácea que velaba el día y avanzamos hacia el sur. No recuerdo cuántas leguas recorrimos hasta que dos montañas elevadísimas se interpusieron en la ruta. En medio de ellas apenas distinguí una brumosa ciudad alzada en los faldeos. Era gótica, púrpura y muy espigada. *Es la ciudad de los pensamientos*, dijo Eleazar. *Mientes*, repuse, y la ciudad desapareció.

Daniel Pizarro nació en Santiago en 1972.
Obras: La carta propia. *Cuentos (1992).*

Padre Nuestro
que estás en los cielos

Mientras el sargento interrogaba a la madre y a la hermana, el capitán se llevó al niño, de una mano, a la otra habitación…

—¿Dónde está tu padre? —preguntó.

—Está en el cielo —susurró él.

—¿Cómo? ¿Ha muerto? —preguntó, asombrado, el capitán.

—No —dijo el niño—. Todas las noches baja del cielo a comer con nosotros.

El capitán alzó la vista y descubrió la puertecilla que daba al entretecho.

José Leandro Urbina. Nació en Santiago en 1949.
Obras: Las malas Juntas. *Cuentos (1979);* Cobro revertido. *Novela (1992).*

·COLOMBIA

- Arciniegas
- Ayala Poveda
- Mejía vallejo

Pequeño mío

A la dama de Shangai

Al afeitarse esa mañana descubrió que tenía cara de gato: se erizó. La espantosa imagen lo persiguió durante el día, en cada pausa del trabajo: los ojos claros de dilatadas pupilas, los bigotes enhiestos, las orejas puntiagudas y su grito, su propio grito, que le descubrió un par de pequeños y finos colmillos. En la noche, sobre el cuerpo jadeante de la mujer, maulló: tuvo sueños horribles con ratas y perros y otras bestias. Al despertar se deslizó entre las sábanas, lamió los tobillos blancos y dulces y luego, perezoso, mientras los dedos de sangrientas uñas le recorrían el lomo, bebió la leche que la mujer le trajo en el platito. ....

Triunfo Arciniegas nació en Málaga, Colombia, en 1957.
Obras: El cadáver del sol. *Cuentos (1982);* En concierto. *Cuentos (1986);*
La lagartija y el sol. *Narrativa para niños (1989);*
Caperucita Roja y otras historias perversas. *Narrativa para niños (1991);*
La muchacha de Transilvania y otras historias de amor. *Narrativa para niños (1993).*

El violinista y el verdugo

Cansado del cielo, Jacob abandonó su castillo y regresó a la tierra. A medianoche penetró en la recámara del sargento Ordax, lo despertó con un golpe de sombra y le dijo:

—¿Ya no me recuerda?

—No —le respondió el verdugo—. ¿Qué desea de mí?

—Recuérdeme —dijo Jacob con vehemencia—, yo soy el hombre que usted asesinó en el conservatorio de música de Miraflores, en la noche de los coroneles.

—No quiero hablar de cuestiones políticas.

—Yo era músico, ¿sabe usted? En la noche de mi muerte, daba mi primer concierto. Me preparé durante treinta años para esa gran noche.

—Lo que fue ya pasó —dijo el verdugo implacable—. El mundo no ha perdido nada sin su música. Fíjese: todo sigue en su mismo lugar. ¿Por qué se lamenta?

—Por mi violín. Usted lo guarda debajo de su cama. Quisiera volver a tocarlo.

—Puede tocarlo si quiere. Pero después saldrá inmediatamente de aquí. Tengo que madrugar.

Jacob tomó el violín, lo acarició con amor y el mundo se llenó de música.

Al principio, el verdugo escuchó aquel concierto con mirada cejijunta, pero más tarde, su rostro se transformó. Luego se levantó de su camastro y se aproximó a la ventana. A través de las rejas de hierro contempló la luna de octubre, y entonces comenzó a silbar una balada feliz, que le evocaba los caballos y las mariposas de su niñez.

Cuando Jacob dejó de tocar el violín, el verdugo le dijo:

—Su música es bella, muy bella, y saludable. Ahora usted debe irse. Ya ha cumplido su deseo. No es bueno que dos sombras hablen en la oscuridad.

Jacob se marchó al cielo con una tremenda nostalgia por los hombres y por su violín.

Un año después, el sargento Ordax, discretamente, concluyó su primer curso de música en el conservatorio de Miraflores, y desde entonces eligió el violín como el instrumento de su destino. ⋯⋯⋮

Fernando Ayala Poveda nació en Tunja en 1951.
Obras: La década sombría. *Novela (1982);* Mujer de magia negra. *Novela (1983);*
Amar en Bahía. *Novela (1985);* El club de la dalia azul. *Cuentos (1986);*
Latinoamérica en su literatura. *Ensayo (1997).*

Hermano Lobo

Una buena acción es aquella que en sí tiene bondad
y que exige fuerza para realizarla. (Montesquieu)

Un día el lobo se dio cuenta de que los hombres lo creían malo.

—Es horrible lo que piensan y escriben —exclamó.

—No todos —dijo un ermitaño desde la entrada de su cueva, y repitió las parábolas que inspiró San Francisco. El lobo estuvo triste un momento, quiso comprender.

—¿Dónde está ese santo?

—En el cielo.

—¿En el cielo hay lobos?

El ermitaño no pudo contestar.

—¿Y tú qué haces? —preguntó el lobo intrigado por la figura escuálida, los ojos ardidos, los andrajos del ermitaño en su duro aislamiento. El ermitaño explicó todo lo que el lobo deseaba.

—Y cuando mueras, ¿irás al cielo? —preguntó el lobo conmovido, alegre de ir entendiendo el bien y el mal.

—Hago por merecer el cielo —dijo apaciblemente el ermitaño.

—Si fueras mártir, ¿irías al cielo?

—En el cielo están todos los mártires.

El lobo se le quedó mirando, húmedos los ojos, casi humanos. Recordó entonces sus mandíbulas, sus garras, sus colmillos poderosos, y de unos saltos devoró al ermitaño. Al terminar, se tendió en la entrada de la cueva, miró al cielo limpiamente y se sintió bueno por primera vez. ....

Manuel Mejía Vallejo nació en Jericó, Antioquía, en 1923.
Obras: El día señalado. *Novela (1964);* Cuentos de zona tórrida. *(1967);*
Y el mundo sigue andando. *Novela (1984);* Otras historias de Balandú. *Cuentos (1990);*
Sombras contra el muro. *Cuentos (1993);* La venganza y otros relatos. *Cuentos (1995);*
Los invocados. *Novela (1997).*

COSTA RICA

- CHAVES
- CONTRERAS CASTRO
- SOTO

La otra muralla china

Cuando caminaba por el borde y por poner atención a la cuchara de plata que se veía en el horizonte, se resbaló. Su cuerpo sintió la fría porcelana mientras caía, aunque afortunadamente no se golpeó muy duro. Un tanto adolorido aún, se incorporó en el fondo de la taza. Miró hacia arriba y, allá, en lo alto, se veía el circular borde y, dentro de su circunferencia, un cielo con una lámpara blanca sobre un fondo de madera. Las paredes de la taza brillaban por la limpieza y el aire era perfectamente respirable. En un rinconcito del fondo, un grano de azúcar había resistido al agua y al jabón. Quería salir de allí lo más pronto posible pero, por lo alto de la pared, era una labor difícil. Y debía hacerlo pronto, pronto. A las tres de la tarde su abuela se acercaría y se serviría su taza de café, tinto y caliente. El tiempo pasaba y él era impotente, allá, en el fondo. El reloj de péndulo sonó: las tres, y la puerta del comedor chirrió cuando la abuela la empujó. La señora, con vestido negro, el pelo en un discreto moño y unos lentes con cadenilla, se acercó a la mesita del café y se sentó. Con su voz pausada, aunque fuerte, ordenó a la muchacha del servicio que trajera el café y la repostería. Él, en el fondo, gritaba que no, pero no lo oían. Gritaba que él estaba ahí, pero no lo veían. La abuela continuaba con su rito. La empleada, con un vestido floreado, trajo la bandeja con lo acostumbrado. La puso en la mesa y se marchó. Desesperado, él intentaba escalar las lisas paredes de porcelana china, vanamente. De pronto, sintió sobre su cuerpo como un baño de granizos, que lo lanzó al suelo con fuerza: el azúcar caía sobre él, una vez y otra vez. Casi sepultado por aquel polvo, logró liberar su cabeza y una de sus manos e intentó gritar nuevamente, pero el café caliente ahogó todo grito.

La abuela tomó su bebida y luego se sentó en el amplio sillón, con tapetes blancos en los espaciosos brazos, en donde continuó con su tejido. ....

José Ricardo Chaves nació en San José en 1958.
Obras: La mujer oculta. *Cuentos (1984);* Los susurros de Perseo. *Novela (1994);*
Los hijos de Cibeles. *Ensayo (1997),* Cuentos Tropigóticos. *(1997);*
Paisaje con tumbas pintadas en rosa. *Novela (en prensa);*
Casa en el árbol. *Cuentos (en prensa).*

Una yunta

No eran exactamente marido y mujer; ni es que fueran socios en todo el sentido de la palabra, porque aunque iban mitad y mitad, de vez en cuando las demasías de alguno de los dos daban al traste con las ganancias de un día o más. Lo que sí eran era una yunta, es decir, una junta... una juntura en sus harapos, muy flacos, con sus bolsos al hombro, sus cabellos largos y enmarañados, él, insignificantemente más alto que ella; en fin, con ese parecido que de hambre y hastío adoptan los desmerecidos.

La yunta tenía una estrategia: salía a recorrer calles en un abrazo indescifrable, con el paso coordinado para confundirse con una sola persona.

Dos de los brazos, el derecho de él y el derecho de ella, funcionaban con la precisión de dos extremidades dirigidas por un solo cerebro. Así, como una mantis religiosa, con los codos apuntando hacia abajo y los antebrazos hacia arriba, las muñecas dirigían las manos ágiles hacia los bolsos, las bolsas y las mochilas de los transeúntes.

Eran invisibles, y el trabajo de sus manos era de una delicadeza de colibrí. Una mano desabrochaba el cierre o lo desamarraba y lo mantenía abierto hasta que la otra saliera con el botín en el pico. Inmediatamente, aquel cuerpo cuádruple viraba graciosamente hacia la dirección contraria y desaparecía entre la multitud.

Ése era el trabajo de la yunta de sol a sol, de modo que al final de la jornada costaba convencer a las piernas de que dejaran de caminar, y el brazo izquierdo de él, enroscado en la cintura recta de ella, comenzaba lentamente el desentumecimiento mientras, el brazo izquierdo de ella acataba torpemente la orden de salirse de la bolsa del pantalón.

A pesar de la visión periférica de sus cuatro ojos, la agudeza de sus cuatro oídos y el alerta constante, la yunta irremediablemente cayó una mañana. Era tan temprano aún que todavía alcanzaron ellos a soltarse velozmente y huyeron por instinto en direcciones opuestas, pero no fueron lejos... los cuerpos separados ya no supieron cómo actuar: correr en dos piernas resultaba tan ajeno a su naturaleza como mirar con dos ojos o asustarse con un solo corazón.

Redujeron la velocidad hasta quedarse queditos, se sentaron en el pavimento mirándose en aquella corta distancia sin oponer resistencia, sólo miraban cómo a cada uno le arrastraban su otro cuerpo, mientras les crecía y les crecía la distancia. ⋯⋮

Fernando Contreras Castro nació en San Ramón en 1963.
Obras: Única mirando al mar. *Novela (1994);* Los Peor. *Novela (1995);*
Urbanoscopio. *Cuentos (1997).*

Microcosmos III

¿Conspiración? ¿Sabotaje? Quizás. Porque sucede que uno, en esta época, está acostumbrado a mirar a los autos paseándose con las banderas de los partidos políticos, pero nunca con una de un club deportivo. Conspiración, sí señor. Casi estoy seguro.

Todo iba bien hasta que llegó el carro ese, con la bandera del Sport Cartaginés. Ya habían hablado dos oradores, ya venía nuestro candidato; todos estábamos satisfechos, habíamos repetido las consignas hasta enronquecer. Todo iba bien, señor. Fue sabotaje. Complot. Conspiración. Se lo digo yo, que estaba cerca y pude verlo todo.

El asunto fue que cuando el carro ése pasó, agitando la bandera del Sport Cartaginés, uno de los que estaba ahí le encajó tamaño banderazo en el techo. Pero el problema, señor, es que todos éramos del mismo partido, eso siempre, cómo no, pero no fanáticos del mismo equipo. Y ahí tiene lo que sucedió: el que estaba a la par del que golpeó el carro, un cerdo del Sport Cartaginés, se le lanzó al tipo de la bandera y le dio un puñetazo que le quebró todos los dientes. Rapidito se corrió la voz: que los del Sport Cartaginés estaban peleando contra nosotros, señor. ¡Imagínese! Contra nosotros, dos veces campeones nacionales. En los megáfonos decían que la misma causa nos unía, decían que nuestro candidato era el mejor y aquí y allá, pero nadie escuchaba. Todos nos unimos para romperle la cabeza hasta al último fanático del Sport Cartaginés. Y venían las ambulancias y hasta llegó la policía. Pero le rompimos la cabeza hasta al último fanático del Sport Cartaginés. Sí señor. Las banderas de nuestro Partido quedaron ahí, pisoteadas por la multitud. Pero le rompimos la cabeza hasta al último fanático del Sport Cartaginés. Vaya si lo hicimos. Sí señor.

Microcosmos VI

Cuando escuchamos el mensaje por la radio no pudimos creerlo. Decía que María Teresa Porras había muerto. Decía que confortada con los Santos Sacramentos y que sus funerales se oficiarían al día siguiente.

Nosotros nos organizamos tan rápido como nos fue posible: decidimos que Alberto iría a la provincia para consolar a Miguel, que con ésta era la segunda vez que enviudaba, y decidimos que a mí me correspondería decirle lo que había sucedido a la madre de Teresa.

Fui esa misma tarde a la casita de la vieja y, como pude, le hice saber que su hija había muerto. A la anciana le tembló la quijada, se le desencajó el rostro y cayó de bruces. La llevé al hospital en un taxi que sonaba su bocina para que los autos nos abrieran paso, mientras la anciana, sobre mis regazos, gemía y retorcía su cuerpo.

Cuando los médicos la estaban atendiendo decidí llamar a la casa para enterarme de las novedades, y entonces fue cuando me dijeron que no, que era broma, que hoy era el cumpleaños de Teresa y que habían decidido jugarnos esa broma porque lo habíamos olvidado. Y voy a protestar, estoy cansado de que me elijan siempre para estas cosas. No seré yo quien le diga a Teresa que su madre acaba de morir. No seré yo. No y no. ....

Rodrigo Soto nació en San José en 1962.
Obras: Mitomanías. *Cuentos (1983);* La estrategia de la araña. *Novela(1985);*
Mundicia. *Novela (1992);* La torre abolida. *Cuentos (1995);*
Dicen que los monos éramos felices. *Cuentos (1996).*

·CUBA

- DIEGO
- SÁNCHEZ RODRÍGUEZ

El Señor de la Peña

El palacio, deshabitado hace veinte años, se alzaba en peñón a la salida del pueblo, donde los vientos lo rodeaban persiguiéndose en sus juegos salvajes y donde el mar rompe los puños infinitos en su larga querella que no termina nunca.

Los reparadores lo repararon un mes antes y enseguida llegaron veinte camiones cargados de muebles para las veinte habitaciones de la casa, el camino a muchas de las cuales se ha perdido.

El portero, la cocinera, el jardinero y la camarera, contratados previamente por el nuevo dueño, los vieron llegar apoyados en el muro del portal. *Deben ser un regimiento* —suspiró la cocinera. Y los otros asintieron con las cabezas, melancólicos.

Pero al final de la procesión no venía sino un solo automóvil y, dentro, sólo el nuevo Señor de la Peña. *Menos mal* —suspiró el jardinero. Y la camarera propuso, fervorosa: *Así sea.*

2

Es un muchacho, un verdadero niño —dijo la camarera arreglándose el pelo y procurando verse, de costado, en el vidrio de la despensa. *Bueno* —dijo el jardinero, dejando la boina sudada sobre la mesa de la cocina y secándose el sudor con un enorme pañuelo rojo y gualda. *Un niño con cara de viejo. ¿A quién se le ocurre...?* Y procedió a contar cómo el Señor de la Peña se había empeñado en que él escondiese los tiestos de las rosas entre las hojas de la palma. *Además* —agregó, mirando significativamente a la camarera—, *apenas puede tenerse en pie. Claro* —repuso ella, furiosa—, *con el dolor que le ha dado en la espalda al pobrecito.*

3

Es un bendito de Dios —afirmó el portero, que era también valet del Señor de la Peña—, *ahí metido entre sus libros, con esas ropas que parecen de cura, y siempre "me hace usted el favor", "tiene usted la bondad", "tantísimas gracias". Si hasta me pidió perdón cuando le derramé el café encima.* La cocinera se puso en jarras: *¡Ropas de cura! Todo sucio y con las botas… Un tártaro, eso es lo que yo digo. Y el modo de pedirme el ron, las palabrotas, total por nada. ¡Eh! ¡Ni mi difunto marido!* Vaya, vaya —dijo el portero, contando distraídamente unas monedas—, *un momento malo lo tiene cualquiera.*

4

Un viejo —dijo el jardinero descargando el puño sobre la mesa—, *digo que es un viejo y que es una desgracia que le estés detrás. ¡Óiganlo!* —chilló la camarera— *¡Un viejo! ¡Viendo visiones! Si lo dice por el modo de pensar, está bien, que por otra cosa… Bueno* —intervino el portero, conciliador—, *un poco calvo y ya duro, pero no tanto como viejo. Como es rubio… ¡Calvo y rubio! ¡Negro, un indio!* —cortó la cocinera, poniendo al cielo por testigo. Y ya iban a recurrir a las últimas y definitivas razones cuando el portero, que ha leído su poquito y es, en suma, un intelectual, detuvo el brazo armado de la cocinera y reclamó atención y calma. *Esto es muy extraño* —dijo—. *Parece que hablamos de cuatro personas distintas. Y pensándolo un momento, los cuatro juntos no lo vimos más que una vez, a su llegada, tan envuelto en pieles que lo mismo podía ser oso. ¿Habrá tres impostores en la casa? Propongo que vayamos los cuatro a verlo, ahora mismo. Está en su estudio, lo acabo de dejar allí.*

Pero la cocinera propuso que fuesen primero por su cuñado, el policía del pueblo, y que, mejor, se asomen los cinco por la ventana del estudio.

5

El Señor de la Peña estaba sentado a su mesa, pero no escribía. Reclinaba la cabeza en el alto respaldar de la silla, inmóvil en la luz plomiza de la claraboya. *Si ése es el Señor, es un muchacho* —dijo el asombrado jardinero. La camarera se cubrió la cara con las manos: *Tenías razón, es un viejo horrendo* —dijo. El portero dio un paso atrás, persignándose: *Es un puro demonio.* La cocinera, cruzadas las manos sobre el delantal, miraba al Señor de la Peña beatíficamente. Entonces el policía, que daba muestras de impaciencia, le tiró malhumorado de la manga: *¿Qué estás tú mirando? Ahí no hay nada más que una silla vacía.* ....

Eliseo Diego nació en La Habana en 1920 y murió en 1994.
Obras: En las oscuras manos del olvido. *Cuentos (1942);* Divertimentos. *Cuentos (1946);*
Muestrario del mundo o Libro de las maravillas de Bolonia. *Poesía (1967);*
Noticias de la quimera. *Poesía (1975);* Inventario de asombros. *Poesía (1982);*
Cuatro de oros. *Poesía (1990).*

Bifurcaciones

¿La pérdida de la simetría bilateral? Es lo peor que le puede suceder a uno. Regresé a la casa con un ojo grande y azul y otro esmirriado y verde; un brazo de carpintero de cuarenta y seis años y otro de oficinista de veinticinco; media boca de un tímido (la mitad originalmente mía) y la otra mitad de uno de esos viejos coléricos e inconformes; una pierna de sedentario cazador de guaguas (mía de siempre, inconfundible entre miles) y otra de exfutbolista del equipo nacional de los años sesenta. Así hasta completar una lista de diferencias interminables, que abarcaba, anatómicamente hablando, todo lo divisible que hay en una persona normal si se le pasa un cordel bien estirado desde la punta de la nariz hasta la cara interior de los tobillos.

Una formalidad. Estará de más pedirles que reparen en que asimismo perdí mi unidad psicofisiológica, de un tirón. "Eres un cóctel humano, compadre", dijo un amigo mío sorprendido por los nuevos atributos, no haciendo otra cosa que revelar con términos muy plásticos y festivos el cruel descubrimiento hecho ya por mi mujer. Nos besábamos matrimonialmente, apenas empezábamos la noche, cuando dio ella un salto y exclamó horrorizada: "Esa mano que me acaricia no es tuya, Luis". Luego había seguido llorando. "El lado izquierdo de tu pecho tiene el olor de Elvis, ese muchacho del piso tres. Siento que te traiciono con otro medio hombre, amor".

Mis tribulaciones no iban a parar ahí. Al volver de la tienda (algunas veces yo iba a las tiendas) corrí con mi pierna juvenil para escapar de la llovizna y tropecé más de una vez con la cansada, y estuve a punto de llegar dividido a la casa, con una distancia entre mis lados proporcional a la diferencia de mis semivelocidades.

Por la tarde mi ojo derecho se deleitó con las aventuras de Tarzán en el cine mientras el otro maldecía, con atinado y debutante sentido crítico, la mala programación de la televisión en este verano. Escuché con una oreja la voz dulce de mi mujer (había decidido tolerar hasta el fin mi desgracia) y con la otra, distraída, lastrada por recuerdos de mis lecturas de Salgari, un disparo de cañón efectuado seis horas antes en el océano Índico.

Lo más triste. Ese día una muchacha (fue un encuentro novelable, camino del cine) se enamoró de mi lado izquierdo (este lado resultaba de mejor parecido que el otro, es la verdad) y yo la anhelé con lo que podía, con el cincuenta por ciento de mis deseos. La imaginé desnuda con el flanco derecho de mi cerebro pero no pasamos del proyecto efímero porque en la votación no logré siquiera la mitad más uno a favor.

En la empresa (no podía ser una excepción, he leído que en ciertos individuos la vida laboral resume sus glorias y sus angustias) esta pérdida de la simetría empezó a manifestarse enseguida. A los siete minutos de haber llegado él, pese a los ardides que puse en acción para ocultarlo, alcé un hombro en respuesta a una acostumbrada pregunta suya, pero con el otro, asimétrico, caído, solapado, le di a entender que ya, que ese tipo de interrogación, estúpida, teatral, hacía años me tenía hasta donde era imposible decirlo decentemente.

No pudo dejar de sorprenderse. Él me conocía hacía tiempo. Y de la sorpresa pasó al desconcierto, porque lo que le acababa de dar a entender yo con los hombros dialectísimos se lo explicaba ahora con mi media boca insobornada (no era la mía original, soy franco) mientras la otra, apacible y musical, hacía su reverencia, le informaba que sí, que otra vez, que habíamos cumplido el plan a un doscientos quince por ciento gracias a su maestría administrativa y el desempeño eficaz de las compañeras de estadística.

Era demasiado para él. Mis evaluaciones siempre habían destacado un elevado concepto del orden y la respetuosidad. Abrió los brazos como víctima de un ataque, gritó: "¡Cómo! ¡Cómo! ¡Cómo!" unas doce veces y me miró por los cuatro lados, me sacudió, me trató de despojar de la mitad dañina. Incluso me pellizcó cordial, buenamente, sólo que en la parte, en el lado en que nunca debió hacerlo.

65

Y ahí sí se armó. Mi mano derecha aplaudió delirante sus últimos pasos, pero la izquierda tomó un puñado de papeles del buró y los zambulló en el cesto, y siguió creciendo en su furia huelguística. Ya estaba rota la inercia, lo demás era fácil.

Cuando ella (mi mano izquierda) observó que otra vez mi mano derecha se apoyaba delicada, salvadora, acariciante, en la espalda enguayaberada de él y mi media garganta y una ventanita nasal cómplice jadeaban entonando happy birth-day, viva, hurra, ole, aleluya, vale, en su homenaje, ella (mi mano izquierda, recuerden) descendió hasta el testículo del mismo bando, subversivo ya, impertinente, güevón, lo sujetó en símbolo de magnitud viril y logró, a una señal, con mucha precisión, afinamiento, un coro glandular, muscular, acopladísimo que pareció (lástima que no lo oyera nadie más, las muchachitas estaban merendando) obra de un cuerpo completo, íntegro, con su simetría bilateral intacta.

Hoy, después de tantos sinsabores, celebro mi tercer día como ser asimétrico.

Me desperté temprano, de buen humor, diverso y bilateral. Desde hace tiempo no tenía esta sensación de alegría por la posesión de cosas tan simples como el aire, el día, mis manos, el amor de ella. Ella no se ha levantado aún; duerme ajena al comienzo de este tercer día y los cambios que se han introducido en mi vida. Anoche me llamaron por teléfono; me comunicaron por el oído más atento y sosegado en ese momento, que una de mis mitades ha sido promovida a un cargo superior por propuesta de él y la otra demovida por sus graves indisciplinas.

Voy a vestirme enseguida. Las guaguas por la mañana resultan inconfiables y a las ocho en punto debo presentarme simultáneamente en un taller automotor de las afueras de la ciudad y en cierta oficina ventilada, confortable, del quinto piso del Ministerio. ....

Félix Sánchez Rodríguez nació en Ciego de Ávila en 1955.
Obras: Cascabeles. *Poesía para niños (1984);* La llave pública. *Cuentos (1991);*
Bifurcaciones. *Cuentos (1997);*

Ecuador

• Rivas Iturralde

El hombre-espejo

Hoy he visto pasar, por la acera de una calle apartada, al hombre de vidrio. Caminaba, lustroso y brillante, recogido e infeliz, en medio de una faramalla del barrio que, entre curiosa y fascinada, se acercaba a preguntarle si podía amar. Pedía el hombre de vidrio no acercarse mucho a él porque podía romperse y ellos, cortarse. Tomaba distancia y observaba. Lo vi desde mi asiento en el bus. Estudié su conducta y esto estaba claro: el hombre de vidrio, al tomar distancia, se esfumaba, quería desaparecer; ser eso: un espejo, para que los demás se distrajeran de la pregunta que era una pedrada y sólo se cuidasen de verse reflejados. Observado de cerca, el hombre de vidrio era plano y anguloso, filudo, peligroso, una transparencia, una entelequia, que sólo se cuidaría de ser pasional, temperamental, vital. Descubrir fuego en su interior sería peligroso: esa fuerza, lanzada hacia afuera, podría también quebrarlo. Así que mejor era ladear el cuerpo y ofrecer, como respuesta, el costado en que el cristal fuera espejo y la luz, imagen de los otros. ....

Vladimiro Rivas Iturralde nació en Latacunga en 1944.
Obras: El demiurgo. *Cuentos (1968);* Historia del cuento desconocido *(1974);*
Los bienes. *Cuentos (1981);* Vivir del cuento. *Cuentos (1993);* El legado del tigre. Novela *(1997).*

EL SALVADOR

- MÉNDEZ
- MENEN DESLEAL

Ernesto el embobado

Elena Estévez —española extremeña— era extraordinariamente elegante, exquisita. Emanaba efluvios enervantes; evidenciaba energía, espíritu. En escueto elogio: encantaba. Encontrándola empezaba el embrujo. Esto experimentó Ernesto Echegoyén, emigrante europeo, ex embajador estoniano. Enamoróse.

Encontrábase entonces Ernesto en el Ecuador, en "El Exeter". Ella emergió en el espejo, esplendorosa, escotada, envuelta en encajes. Efectivamente estaba en escalera.

Enardecido, exaltado, Ernesto empezó espetándole exabruptamente escandaloso exordio:

— ¡Escaso ejemplar!

Ella, endiabladamente elástica, escapó, envolviéndolo en enigmático ensueño. Ernesto estaba ebrio, en eclipse, en el Edén.

Elenita empezó esquivándolo. Empero enseguida entendiéronse. Escarceos en esquinas. Enternecidas epístolas. Enojos, explicaciones. Ensueños, éxtasis, etcétera. Epílogo: enlace. ....

José María Méndez nació en Santa Ana en 1916.
Obras: Disparatario. *Cuentos (1957);* Tres mujeres al cuadrado. *Cuentos (1962);*
Tiempo redimible. *Cuentos (1970);* Espejo del tiempo. *Cuentos (1973);*
Cuentos del alfabeto *(1992);* Diccionario personal *(1993);* Antología definitiva *(1996).*

El hombre y su sombra

La "Carta del Tiempo" número 116 correspondiente al año 1962, aparte de indicar que la humedad relativa a la fecha era de 90 por ciento y la presión atmosférica de 1011.0 milibares (y otras cosas de igual jaez, como la temperatura, el crepúsculo civil, etc.), decía esto como algo de no mayor importancia:

Finalmente, hay que mencionar que los días 16 y 17 de agosto, a las 12 horas y 4 minutos pasado meridiano, el sol, por segunda vez en este año, se encuentra en el cénit y no proyecta sombra.

Fue un grave problema para Williams: Al salir de casa, pisó la calle pero no vio su sombra. Dedujo por eso que había muerto, y se echó a dormir.

Williams fue enterrado; mas su sombra, que conocía el fenómeno, pasa las horas del día sentada a la puerta del Servicio Meteorológico, clamando por un cuerpo, y es gran molestia para los empleados.

Álvaro Menen Desleal nació en Santa Ana en 1931.
Obras: El extraño habitante. *Poesía (1964);* La ilustre familia androide. *Cuentos (1972);*
Hacer el amor en el refugio atómico. *Novelas cortas (1972);*
La bicicleta al pie de la muralla. *Teatro (1991);* El fútbol de los locos. *Cuentos (1998).*

·Guatemala

- González
- López Baldizón
- Monterroso

OTTO RAÚL GONZÁLEZ

Boda en Las Vegas

La semana pasada se casó en Las Vegas Gunther Sachs con Brigitte Bardot, quien a su vez estuvo casada con Roger Vadim, quien a su vez estuvo casado con Susane Dubois, quien a su vez estuvo casada con George Sanders, quien a su vez estuvo casado con Zsa Zsa Gabor, quien a su vez estuvo casada con Porfirio Robirosa, quien a su vez estuvo casado con Danielle Darrieux, quien a su vez estuvo casada con el "Toro" La Guardia, quien era muy amigo de Ana Magnani, quien a su vez estuvo casada con Roberto Rosellini, quien a su vez estuvo casado con Ingrid Bergman, quien a su vez era amiga y paisana de Greta Garbo, quien a su vez se paseó largamente por Europa en compañía de Leopold Stokowski, quien a su vez dirigió la música del filme "Fantasía", película que le gustó mucho a Marta García, quien a su vez estuvo casada con Benito Pérez Díaz, quien a su vez es un gran consumidor de Pepsi-Cola, embotelladora de refrescos de la que fue connotada accionista Joan Crawford, quien a su vez estuvo casada con Douglas Fairbanks Jr., quien a su vez estuvo casado con Lilly Damita, quien a su vez estuvo casada con Errol Flynn, quien a su vez estuvo casado con Dorothy Mallone, quien a su vez trabajó en un filme al lado de Marilyn Monroe, quien a su vez estuvo casada con Joe DiMaggio, quien a su vez estuvo casado con una amiga de Mickey Rooney, quien a su vez estuvo casado con Lana Turner, quien a su vez tuvo amores tormentosos con Johnny Stompanato, quien a su vez encontró la muerte en un largo cuchillo de cocina manejado por la hija de la señora Turner, quien desde entonces usa anteojos negros que adquiere por docenas en los Almacenes de Cinco y Diez Centavos propiedad de Bárbara Hutton, quien a su vez estuvo casada con el ya mencionado Porfirio Robirosa, quien a su vez estuvo casado con Flor de Oro Trujillo, quien a su vez es hermana de Ramfis Trujillo, quien a su vez obsequió un "cadillac" y un "mink" a Kim Novak, quien a su vez estuvo casada con Joseph Smith, quien a su vez estuvo casado con Gloria Swanson, quien a su vez fue el eterno amor de Erik Von Strohein, quien a su vez era tío de Debbie Reynolds, quien a su vez estuvo casada con Eddie Fisher, quien a su vez estuvo casado con Elizabeth Taylor, quien se ha casado exhaustivamente con Nick Hilton, Michel Wilding, Mike Todd, el susodicho Eddie Fisher y Richard Burton, quien a su vez estuvo casado con Sibila Vane, quien a su vez estuvo casada con Leslie Ashton, quien a su vez estuvo casado con Ursula Andress, quien a su vez estuvo casada con John Derek, quien a su vez estuvo casado con una prima de Ernest Borgnine, quien a su vez estuvo casado con Katy Jurado, quien es de origen latino como Rita Hayworth, quien a su vez estuvo casada con Orson Welles, quien a su vez estuvo casado con la condesa Adfera Franchetti, quien a su vez estuvo casada con Henry Fonda, quien a su vez era papá de Jane Fonda, quien estuvo casada con Roger Vadim, quien a su vez estuvo casado con la muñeca de fuego que se casó la semana pasada en Las Vegas.........

Muerte de un rimador

Agapito Pito era un rimador nato y recalcitrante. Un buen día viajó a un extraño país en donde toda rima, aunque fuese asonante, era castigada con todo rigor incluyendo la pena de muerte.

Pito empezó a rimar a diestra y siniestra sin darse cuenta del peligro que corría su vida. Veinticuatro horas después fue encarcelado y condenado a la pena máxima.

Considerando su condición de extranjero, las altas autoridades dictaminaron que podría salvar el pellejo solamente si pedía perdón públicamente ante el ídolo antirrimático que se alzaba en la plaza central de la ciudad.

El día señalado, el empedernido rimador fue conducido a la plaza y, ante la expectación de la multitud, el juez del supremo tribunal le preguntó:

—¿Pides perdón al ídolo?

—¡Pídolo!

Agapito Pito fue linchado *ipso facto.*

Otto Raúl González nació en Guatemala en 1921.
Obras: Poesía fundamental (1973); De brujas y chamanes. Cuentos (1980);
El magnicida. Novela (1982); El mercader de tortugas. Cuentos (1986);
Sonetos mexicanos. Poesía (1986); Kaibil. Novela (1998); Conjuros para jardines. Poesía (1998).

Alma en pena

—¿Quién se llama Baudilio Bautista?

El paisano que hizo esta pregunta apareció sin que le viésemos llegar. Vestía luto riguroso, por lo cual era de suponerle seminarista o viudo, muerto o recién llegado de provincia, aunque, a decir verdad, nadie hubiera atinado el acertijo a primera vista. Mas no puede negarse que su semblante enigmático nos pareció raro al extremo de sobrecogernos tremebunda la duda de que fuera un alma en pena. Amarillento, barbilampiño, de nariz afilada y brillantes ojos, daba idea de cargar consigo alguna terrible preocupación funeral.

—¿Ninguno de ustedes es Baudilio? —esgrimió esta vez resuelto a obtener nuestra contestación.

—Nadie. Ninguno. No hay quien se llame así… —respondimos.

—Pues, señores —aclaró sentencioso el desconocido—, para que lo sepan, yo soy quien lleva ese nombre: soy Baudilio Bautista, para servirlos… He llegado de ahí por Zacapa. Discúlpenme, pregunto por mí para saber si me conocen aquí…

Nos miramos ciertamente extrañados. Y, por lo mismo, seguro de la chifladura del señor Baudilio, alguien le hizo este injusto reproche:

—¿Qué se trae con ese juego? ¿Pregunta por usted mismo tan tranquilamente…?

—Pues… verán: tengo un hermano gemelo, mejor dicho, tenía… No hace mucho que él estiró la pata. Mi hermano se llamaba Reginaldo Bautista… ¡Un momento! ¡Ni hagan ojo pache! Juro que éramos iguales…

—Resulta —continuó—, que por cuestión de faldas acabo de tener dificultades. Me enamoré de una doña llamada Susana Domínguez, mujer de un tal Teodoro Teos, viejo camionero y dueño de trapiche en Estanzuela… ¡Claro que en los pueblos luego se saben las cosas! ¿Quién le diría a Teodoro que su mujer era mi mujer? Es lo que no sé. Pero, matrero como él solo, Teodoro Teos me aguardó a la salida de Choyoyó, junto al Motagua, camino a Chimecate, donde existe un improvisado funicular de canastita… Y una noche me salió de las sombras un corvo traicionero que se sembró aquí, en mi pecho. Se vengó el maldito, mas, ¿a quién daría muerte? ¿Será que vengó mi acción dándole muerte a Reginaldo, mi hermano gemelo, o, de veras, en vez de matar a Reginaldo, me mató a mí? Es lo que no sé. Por eso pregunto mi nombre. ¡Ah! ¡Maldita mi desgracia! ¡No sabré quién fue el muerto hasta no dar con un conocido!

Diciendo esto, se disculpó, y, quitándose el sombrero de fieltro para saludarnos, el espectro de Baudilio Bautista se fue desvaneciendo poco a poco……

José María López Baldizón nació en Rabinal, Baja Verapaz, en 1929 y murió en 1975.
Obras: Sudor y protesta. Cuentos (1953); La vida rota. Cuentos (1960);
La sangre del maíz. Novela (1966).

El eclipse

Cuando fray Bartolomé Arrazola se sintió perdido aceptó que ya nada podría salvarlo. La selva poderosa de Guatemala lo había apresado, implacable y definitiva. Ante su ignorancia topográfica se sentó con tranquilidad a esperar la muerte. Quiso morir allí, sin ninguna esperanza, aislado, con el pensamiento fijo en la España distante, particularmente en el convento de Los Abrojos, donde Carlos Quinto condescendiera una vez a bajar de su eminencia para decirle que confiaba en el celo religioso de su labor redentora.

Al despertar se encontró rodeado por un grupo de indígenas de rostro impasible que se disponían a sacrificarlo ante un altar, un altar que a Bartolomé le pareció como un lecho en el que descansaría, al fin, de sus temores, de su destino, de sí mismo.

Tres años en el país le habían conferido un mediano dominio de las lenguas nativas. Intentó algo. Dijo algunas palabras que fueron comprendidas.

Entonces floreció en él una idea que tuvo por digna de su talento y de su cultura universal y de su arduo conocimiento de Aristóteles. Recordó que para ese día se esperaba un eclipse total de sol. Y dispuso, en lo más íntimo, valerse de aquel conocimiento para engañar a sus opresores y salvar la vida.

—Si me matáis —les dijo— puedo hacer que el sol se oscurezca en su altura.

Los indígenas lo miraron fijamente y Bartolomé sorprendió la incredulidad en sus ojos. Vio que se produjo un pequeño consejo y esperó confiado, no sin cierto desdén.

Dos horas después el corazón de fray Bartolomé Arrazola chorreaba su sangre vehemente sobre la piedra de los sacrificios (brillante bajo la opaca luz de un sol eclipsado) mientras uno de los indígenas, recitaba sin ninguna inflexión de voz, sin prisa, una por una, las infinitas fechas en que se producirían eclipses solares y lunares, que los astrónomos de la comunidad maya habían previsto y anotado en sus códices sin la valiosa ayuda de Aristóteles. ⋯

Augusto Monterroso nació en Tegucigalpa, Honduras, en 1921.
Obras: Obras completas y otros cuentos *(1959);* La oveja negra y demás fábulas. *Cuento (1969);*
Lo demás es silencio. *Novela (1982);* La letra e. *Diario (1987);* Los buscadores de oro *(1993).*

·Honduras

- Acosta
- Escoto

El regresivo

Dios concedió a aquel ser una infinita gracia: permitir que el tiempo retrocediera en su cuerpo, en sus pensamientos y en sus acciones. A los setenta años, la edad en que debía morir, nació. Después de tener un carácter insoportable, pasó a una edad de sosiego que antecedía a aquella. El Creador lo decidiría así, me imagino, para demostrar que la vida no sólo puede realizarse en forma progresiva, sino alterándola, naciendo en la muerte y pereciendo en lo que nosotros llamamos origen sin dejar de ser en suma la misma existencia. A los cuarenta años el gozo de aquel ser no tuvo límites y se sintió en poder de todas sus facultades físicas y mentales. Las canas volviéronsele oscuras y sus pasos se hicieron más seguros. Después de esta edad, la sonrisa de aquel afortunado fue aclarándose a pesar de que se acercaba más a su inevitable desaparición, proceso que él parecía ignorar. Llegó a tener treinta años y se sintió apasionado, seguro de sí mismo y lleno de astucia. Luego veinte y se convirtió en un muchacho feroz e irresponsable. Transcurrieron otros cinco años y las lecturas y los juegos ocuparon sus horas, mientras las golosinas lo tentaban desde los escaparates. Durante ese lapso lo llegaba a ruborizar más la inocente sonrisa de una colegiala que una caída aparatosa en un parque público un día domingo. De los diez a los cinco, la vida se le hizo cada vez más rápida y ya era un niño a quien vencía el sueño.

Aunque ese ser hubiera pensado escribir esta historia, no hubiera podido: letras y símbolos se le fueron borrando de la mente. Si hubiera querido contarla, para que el mundo se enterara de tan extraña disposición de Nuestro Señor, las palabras hubieran acudido entonces a sus labios en la forma de un balbuceo.

Oscar Acosta nació en Tegucigalpa, Honduras, en 1933.
Obras: El arca. _Cuentos (1956);_ Tiempo detenido. _Poesía (1962);_ Poesía. _Antología (1971);_

Noción del alquimista llamado Dios y sus 300 jarrones

Tras el espejo de luna, los 300 jarrones chinos. Cada jarrón toma color azuloso conforme el día avanza. Al anochecer, la habitación, hasta la boca del túnel con su puerta de espejo de luna, es una cámara fosforescente. El cilindro granítico permanece profusamente iluminado. Un papagayo disecado se impregna de luz y la sombra de su esqueleto atraviesa el espejo. Desde la tierra lo vemos y consideramos al sol como un canoro matutino.

Tras las redomas, los morteros y los estantes atiborrados de fragancias envitradas, la osamenta disecada de un elefante eleva su moco. Cruzan su imagen los jarrones chinos con inscripciones que Adán, el hombre de todos los idiomas, grabó. Desde la tierra miramos su lechuzal vuelo sombrío y consideramos que allá arriba, a través del espejo de media luna, ese esqueleto es Satán.

Cuando pasa el ermitaño alquimista llamado Dios frente a las ánforas fosforescentes, en la tierra su esqueleto queda lamiendo las paredes, hay un milagro y los hombres pensamos que ese esqueleto es Dios. Tomamos latas, palas, goteros y termómetros para recoger sus gotas y adorarlo. Para entonces es otro día y la cámara granítica de los 300 jarrones chinos comienza a iluminarse nuevamente. ....

Julio Escoto nació en 1944.
Obras: Los guerreros de Hibueras. *Cuentos (1968);*
La balada del herido pájaro. *Cuentos (1969);*
El árbol de los pañuelos. *Novela (1971);*
Días de ventisca, noches de huracán. *Novela (1980);*
Bajo el almendro, junto al volcán. *Novela (1988);*
Madrugada, rey del albor. *Novela (1993).*

·MÉXICO

- ARREOLA
- CERDA
- JACOBS
- SAMPERIO

La migala

La migala discurre libremente por la casa, pero mi capacidad de horror no disminuye.

El día en que Beatriz y yo entramos en aquella barraca inmunda de la feria callejera, me di cuenta de que la repulsiva alimaña era lo más atroz que podía depararme el destino. Peor que el desprecio y la conmiseración brillando de pronto en una clara mirada.

Unos días más tarde volví para comprar la migala, y el sorprendido saltimbanqui me dio algunos informes acerca de sus costumbres y su alimentación extraña. Entonces comprendí que tenía en las manos, de una vez por todas, la amenaza total, la máxima dosis de terror que mi espíritu podía soportar. Recuerdo mi paso tembloroso, vacilante, cuando de regreso a la casa sentía el peso leve y denso de la araña, ese peso del cual podía descontar, con seguridad, el de la caja de madera en que la llevaba, como si fueran dos pesos totalmente diferentes: el de la madera inocente y el del impuro y pozoñoso animal que tiraba de mí como un lastre definitivo. Dentro de aquella caja iba el infierno personal que instalaría en mi casa para destruir, para anular al otro, el desomunal infierno de los hombres.

La noche memorable en que solté a la migala en mi departamento y la vi correr como un cangrejo y ocultarse bajo un mueble, ha sido el principio de una vida indescriptible. Desde entonces, cada uno de los instantes de que dispongo ha sido recorrido por los pasos de la araña, que llena la casa con su presencia invisible.

Todas las noches tiemblo en espera de la picadura mortal. Muchas veces despierto con el cuerpo helado, tenso, inmóvil, porque el sueño ha creado para mí, con precisión, el paso cosquilleante de la araña sobre mi piel, su peso indefinible, su consistencia de entraña. Sin embargo, siempre amanece. Estoy vivo y mi alma inútilmente se apresta y se perfecciona.

Hay días en que pienso que la migala ha desaparecido, que se ha extraviado o que ha muerto. Pero no hago nada para comprobarlo. Dejo siempre que el azar me vuelva a poner frente a ella, al salir del baño, o mientras me desvisto para echarme en la cama. A veces el silencio de la noche me trae el eco de sus pasos, que he aprendido a oír, aunque sé que son imperceptibles.

Muchos días encuentro intacto el alimento que he dejado la víspera. Cuando desaparece, no sé si lo ha devorado la migala o algún otro inocente huésped de la casa. He llegado a pensar también que acaso estoy siendo víctima de una superchería y que me hallo a merced de una falsa migala. Tal vez el saltimbanqui me ha engañado, haciéndome pagar un alto precio por un inofensivo y repugnante escarabajo.

Pero en realidad esto no tiene importancia, porque yo he consagrado a la migala con la certeza de mi muerte aplazada. En las horas más agudas del insomnio, cuando me pierdo en conjeturas y nada me tranquiliza, suele visitarme la migala. Se pasea embrolladamente por el cuarto y trata de subir con torpeza a las paredes. Se detiene, levanta su cabeza y mueve los palpos. Parece husmear, agitada, un invisible compañero.

Entonces, estremecido en mi soledad, acorralado por el pequeño monstruo, recuerdo que en otro tiempo yo soñaba en Beatriz y en su compañía imposible.

Juan José Arreola nació en Zapotlán, Ciudad Guzmán, Jalisco, en 1918.
Obras: Varia invención. *Cuentos (1949)*; Confabulario. *Cuentos (1952)*;
Bestiario. *Cuentos (1958)*; La feria. *Novela (1963)*; Estas páginas mías. *Cuentos (1985)*;
Confabulario definitivo. *Cuentos (1986)*.

Amenazaba tormenta

Una hora de más o de menos no tiene importancia, salvo que estés muriéndote o naciendo. "*Muriéndome*", es decir, morirse uno a sí mismo, no a otro; por lo tanto, no es igual un minuto antes que después. Pero esta reflexión no la hice cuando se interpuso por primera vez en mi vida una nube entre las tres y las cuatro de la tarde, impidiéndome ver a mi alrededor durante esa hora. Tampoco me di cuenta de que sólo me cubría a mí, como una venda sobre mis párpados. Por lo demás, no estaba mal, aparecía justo a la hora de la siesta, protegiéndome con su sombra de algún rayo de sol inoportuno. Era grato despertar en medio de una luz amortiguada, sin los deslumbramientos tan comunes del mes de abril. Porque era abril y aún no llegaban las lluvias, así que la nube era más bien blanca. La única en protestar fue mi esposa, quien no dejó de creer que era cosa mía para fastidiarla. Le parecía de lo más extravagante traer una nube en los ojos, en lugar de unos lentes oscuros. Tal vez hubiera preferido un antifaz y no mi algodonosa compañía. Sin embargo, ahí estaba y lo mejor era dormir la siesta bajo su cobijo.

Fue hasta algunos días después, que me percaté de su movimiento. Estábamos en una comida de bodas, de ésas en que sirven a las cuatro de la tarde, cuando mi mujer, malhumorada, me reclamó: "*¿No pudiste dejarla en la casa?*" "*¿A quién?*", le pregunté. "*A tu maldita nube*". La cual a esas fechas había descendido a la altura de mi cuello, semejando una escafandra. Por cierto que, a las cinco, la nube persistía en este sitio. Me hubiera gustado verificar si en mi casa no estaba en ese momento nube alguna, mas la sola idea me pareció desleal. Indudablemente la nube era mi seguidora, no tenía derecho a desconfiar de ella. Excepto que mi tiempo de observar se iba acortando, no podía objetarle nada; era juguetona, aunque discreta, no pasaba de envolverme la cara, con lo cual me defendía de los ruidos. ¿Se han puesto alguna vez algodones en los oídos para no escuchar a su cónyuge? Tam-

95

bién me permitía reírme sin que me vieran y eludir las respuestas a la misma pregunta: *¿De dónde diablos sacaste esa cosa?*

Cuando la nube se extendió hasta la hora del crepúsculo, adquirió un tono rosado que me sentaba mejor y, mientras el mundo de afuera se esforzaba en agredirme por medio de los insultos de mi mujer, a quien cada vez oía menos gracias a la nube; mi mundo de adentro crecía y se ensanchaba: el vapor ya me envolvía de la cabeza a los pies, desde las tres de la tarde hasta el anochecer.

Un lunes amanecí nublado. Mi nube había decidido quedarse conmigo la noche anterior, porque amenazaba tormenta. Mi mujer estaba furiosa. Como a las diez de la mañana comencé a llover. *"Augusto, deja de hacer payasadas"*, gritó mi mujer a eso de las doce, pero yo seguí lloviendo hasta que mi última gota empapó la alfombra, ante los gritos ya inaudibles de la que fuera mi esposa. ....

Martha Cerda nació en Guadalajara en 1945.
Obras: La señora Rodríguez y otros mundos. *Novela (1990);*
Juegos de damas. *Cuentos (1993);* Y apenas era miércoles. *Novela (1993);*
Las mamás, los pastores, los hermeneutas. *Cuentos (1995);*
Toda una vida. *Novela (1998).*

Un justo acuerdo

Por diferentes delitos, la condenaron a cadena perpetua más noventa y seis años de estricta prisión.

Como era joven, los primeros cincuenta los pasó viva. Al principio no faltó quien la visitara; en varias ocasiones, concedió ser entrevistada, hasta que dejó de ser noticia. Su rutina sólo se vio interrumpida cuando, durante los últimos años y a pesar de que las autoridades la consideraron simpre una mujer sensata, fue confinada en el pabellón de psiquiatría. Ahí aprendió cómo entretenerse sin necesidad de leer ni escribir; acaso ni de pensar. Para entonces ya había prescindido del habla, y no tardó en acostumbrarse a la inmovilidad. Al final parecía dominar el arte de no sentir.

Cuando murió la llevaron, en un ataúd sencillo, a una celda iluminada y con bastante ventilación, en donde cumplió buena parte de su condena; a lo largo de este período, el celador en turno rara vez olvidó llevarle flores, aunque marchitas, obedeciendo la orden, transmitida de sexenio en sexenio, de mantenerla aislada, si bien no por completo.

Hace poco, debido a razones de espacio, las autoridades decidieron enterrarla; pero, con el fin de no transgredir la ley y de no conceder a esa reo ningún privilegio, acordaron que el tiempo que le faltaba purgar fuera distribuido entre dos o tres presas desconocidas que todavía tenían muchos años por vivir.

Bárbara Jacobs nació en México DF en 1947.
Obras: Un justo acuerdo. Cuentos (1979); Doce cuentos en contra. (1982);
Escrito en el tiempo Cartas (1985); Las hojas muertas. Novela (1987);
Juego limpio. Ensayos (1997).

Tiempo libre

Todas las mañanas compro el periódico y todas las mañanas, al leerlo, me mancho los dedos con tinta. Nunca me ha importado ensuciármelos con tal de estar al día en las noticias. Pero esta mañana sentí un gran malestar apenas toqué el periódico. Creí que solamente se trataba de uno de mis acostumbrados mareos. Pagué el importe del diario y regresé a mi casa. Mi esposa había salido de compras. Me acomodé en mi sillón favorito, encendí un cigarro y me puse a leer la primera página. Luego de enterarme de que un jet se había desplomado, volví a sentirme mal; vi mis dedos y los encontré más tiznados que de costumbre. Con un dolor de cabeza terrible, fui al baño, me lavé las manos con toda calma y, ya tranquilo, regresé al sillón. Cuando iba a tomar mi cigarro, descubrí que una mancha negra cubría mis dedos. De inmediato retorné al baño, me tallé con zacate, piedra pómez y, finalmente, me lavé con blanqueador; pero el intento fue inútil, porque la mancha creció y me invadió hasta los codos. Ahora, más preocupado que molesto llamé al doctor y me recomendó que lo mejor era que tomara unas vacaciones, o que durmiera. Después, llamé a las oficinas del periódico para elevar mi más rotunda protesta; me contestó una voz de mujer, que solamente me insultó y me trató de loco. En el momento en que hablaba por teléfono, me di cuenta de que, en realidad, no se trataba de una mancha, sino de un número infinito de letras pequeñísimas, apeñuzcadas, como una inquieta multitud de hormigas negras. Cuando colgué, las letritas habían avanzado ya hasta mi cintura. Asustado, corrí hacia la puerta de entrada; pero, antes de poder abrirla, me flaquearon las piernas y caí estrepitosamente. Tirado bocarriba descubrí que, además de la gran cantidad de letras-hormiga que ahora ocupaban todo mi cuerpo, había una que otra fotografía. Así estuve durante varias horas hasta que escuché que abrían la puerta. Me costó trabajo hilar la idea, pero al fin pensé que había llegado mi salvación. Entró mi esposa, me levantó del suelo, me cargó bajo el brazo, se acomodó en mi sillón favorito, me hojeó despreocupadamente y se puso a leer..........

Guillermo Samperio nació en México en 1948.
Obras: Gente de la Ciudad. *Cuentos (1985);* Miedo ambiente. *Cuentos (1977);*
Cuaderno imaginario. *Cuentos y prosa poética (1989);* Anteojos para la abstracción. *Novela (1994);*
Ventriloquia inalámbrica. *Novela (1996/1997).*

·Nicaragua

- Chávez Alfaro
- Ramírez

Sudar como caballo

Cuando Erasto oyó el chirrido de los frenos y que el motor se apagaba frente al edificio, el corazón le saltó como un perrito alegre. Se asomó a la ventana. Desde el séptimo piso, vio el camión cargado con la tonelada de plastilina.

—¡Es aquí! —gritó, agitando un brazo para que lo vieran mejor. Los peones del camión levantaron la cabeza, lo vieron fríamente y luego se miraron entre sí, incapaces de medir el tamaño del disparate.

—¡No podemos subirla! —contestó uno.

—¿Por qué?

—¡Es ilegal! —y sin más se pusieron a descargar el camión. Erasto bajó las escaleras corriendo, descalzo y con la camisa desabotonada. Inútilmente habló durante un cuarto de hora, porque los peones se habían taponado los oídos con plastilina. Apilaron los grandes cubos junto a la puerta, le hicieron firmar el recibo y se alejaron haciendo ruidos obscenos con el motor del camión.

Erasto pasó la tarde subiendo y bajando los siete pisos, pero eso y más hubiera hecho porque nada, absolutamente nada podía detenerlo en su propósito. Cuando subió el último cubo tuvo que sumir el abdomen y caminar de lado para entrar en su cuarto. Estiró los brazos y se empinó para colocarlo arriba. Prensado entre la pared y aquella montaña oscura, pensó en su cama, en su mesa, en sus bocetos, en su ropa, en sus zapatos, en todo lo que había quedado sepultado bajo la tonelada de plastilina. Estaba exhausto. Hizo un gran esfuerzo, escaló la montaña y se acostó bocarriba. Se asustó un poco al ver el cielo raso tendido sobre él, como la tapa de un ataúd. Fue un temor instantáneo, porque inmediatamente pensó en lo que seguía: ablandar la plastilina; una tonelada. Pero apenas era suficiente para modelar la monumental obra. Cada detalle y el monumento en su totalidad había quedado resuelto a fuerza de trazarlo y retrazarlo en centenares de bocetos. Vio crecer la figura de El Inconforme, con cada uno de sus músculos retorcidos de ambición. Sus proporciones eran demasiado grandes para el cuarto, y la figura rompió el techo para sacar medio cuerpo. Lo más probable era que el dueño del edificio lo demandara por daños y perjuicios. Pero todo carecía de importancia ante la trascendencia de la obra que estaba a punto de realizar. Dichoso de sentirse tan cansado se durmió, con un pie de la gigantesca estatua como almohada.

Erasto despertó al amanecer con sus fuerzas recuperadas. La plastilina era dura; poco le faltaba para ser piedra. No sabía por dónde principiar a amasar la montaña. Arrastrándose sobre la espalda encontró un hueco en el que cupo sentado en cuclillas. Sin pensarlo más, allí dio los primeros golpes. Al principio la montaña rugió secamente. Se negaba a ser ablandada. Y poco a poco fue cediendo a causa del calor de la piel de Erasto, más que de sus golpes.

Era una pelea a muerte en la que sin duda el triunfo estaría de parte del domador. "Lo que estoy golpeando puede ser el hígado, las orejas, o un brazo de El Inconforme". Y por enésima vez visualizó la estatua. Se elevaba por encima de los techos, con el pecho amplio, sólido; los labios abultados por una sonrisa sensual, la sensualidad del que vive constantemente aventado hacia la acción. Sintió cierto ardor en los nudillos, levantó las manos rápidamente y las vio sangrando. Era cualquier cosa, pero para dejarlas descansar siguió golpeando con los pies. Sintió hambre. El pan y la leche que había comprado el día anterior estaban sepultados. Los jugos gástricos no alcanzaban a entender eso y se puso a mascar un trozo de plastilina para engañarlos.

Al anochecer Erasto era un trapo empapado de fatiga. Había ablandado una sección muy pequeña. Multiplicó, dividió, sumó, restó mentalmente: en un mes la tendría preparada, lista para obedecer lo que le ordenaban sus manos. Esa noche vio que el monumento se movía de su sitio y se iba por las calles hablándole a las multitudes. Él lo seguía de cerca. Se escondía tras de los postes para gozar a solas de la revolución que estaba provocando El Inconforme. El gobierno no quiso tolerar por más tiempo aquella incitación al desorden y destacó un batallón de lanzallamas para contenerlo. Erasto despertó sobresaltado. Estiró el brazo para tocar el trozo ablandado: no estaba. Se apresuró a encender un fósforo. "Me he desorientado", se dijo, y lo buscó a su espalda, pero ahí tampoco estaba. La masa inerte se resistía y había vuelto a endurecerse.

—¡Maldita mole! ¿De dónde sacas frío? ¡Yo estoy sudando como un caballo! —gritó encolerizado, y acometió de nuevo la tarea de ablandamiento.

Naturalmente que el hombre estaba decidido a salirse con la suya. Terminaba los días embadurnado de plastilina hasta las axilas, atiborrado de gloria: había amasado otro cubo, golpeándolo con la cabeza cuando las rodillas, los pies o las manos estaban demasiado ensangrentados.

Pero hubo un error de cálculo. De esto hace cuarenta años y su cama sigue sepultada. ....

Lizandro Chávez Alfaro nació en Bluefields en 1929.
Obras: Hay una selva en mi voz. *Poesía (1950);* Arquitectura inútil. *Poesía (1954);*
Los monos de San Telmo. *Cuentos (1963);* Trágame tierra. *Novela (1969);*
Balsa de serpientes. *Novela (1976);* Trece veces nunca. *Cuentos;* Columpio al aire. *Novela;*
Los caballeros andantes del Caribe. *Ensayos.*

De las propiedades del sueño

Sinesios de Cirene, en el siglo XIV, sostenía en su *Tratado sobre los sueños* que si un determinado número de personas soñaba al mismo tiempo un hecho igual, éste podía ser llevado a la realidad: "entreguémonos todos entonces, hombres y mujeres, jóvenes y viejos, ricos y pobres, ciudadanos y magistrados, habitantes de la ciudad y del campo, artesanos y oradores a soñar nuestros deseos. No hay privilegiados ni por la edad, el sexo, la fortuna o la profesión; el reposo se ofrece a todos: es un oráculo que siempre está dispuesto a ser nuestra terrible y silenciosa arma".

La misma teoría fue afirmada por los judíos aristotélicos de los siglos XII y XIII (o Sinesios la tomó de ellos) y Maimónides, el más grande, logró probarlo (según Gutman en *Die Philosophie des Judentums*, Munich, 1933), pues se relata que una noche hizo a toda su secta soñar que terminaba la sequía. Al amanecer, al salir de sus aposentos se encontraron los campos verdes y un suave rocío humedecía sus barbas.

La oposición política de un país que estaba siendo gobernado por una larga tiranía quiso experimentar siglos después las excelencias de esta creencia y distribuyó entre la población de manera secreta unas esquelas en las que se daban las instrucciones para el sueño conjunto: en una hora de la noche claramente consignada, los ciudadanos soñarían que el tirano era derrocado y que el pueblo tomaba el poder.

Aunque el experimento comenzó a efectuarse hace mucho tiempo, no ha sido posible obtener ningún resultado, pues Maimónides prevenía (parágrafo XII) que en el caso que el objeto de los sueños fuera una persona, debería ser sorprendida durmiendo.

Y los tiranos nunca duermen. ·······

Sergio Ramírez nació en Masatepe en 1942.
Obras: Cuentos *(1963);* Nuevos cuentos *(1969);* Tiempo de fulgor. *Novela (1970);*
De tropeles y tropelías. *Fábulas políticas (1972);* Charles Atlas también muere. *Cuentos (1976);*
Castigo divino. *Novela. (1988);* Margarita está linda la mar. *Novela (1998).*

Panamá

- Jaramillo Levi
- Pitty

El fabricante de máscaras

P or supuesto que él no sabía que lo estaban vigilando. Nunca lo supo en realidad. Pero cada vez que el anciano veía la sombra alargándose a su lado o ligeramente delante de él, empezaba a sentir una añorada sensación de tranquilidad. Como si al proyectarse contra la pared o en el piso se fuera encontrando más seguro, más acompañado, menos solo. Y era bien distinto a lo que sentía al ver su reflejo duplicándolo en algún anónimo espejo. Porque cuando se veía mirándose quedaba neutralizado, incapaz de moverse con libertad, quieto en medio de la terrible angustia de ser sin remedio una misma soledad inapelable.

Y la misma sensación de extrañamiento ancestral experimentaba al tomar por un momento otra identidad, cualquiera, tras ceñirse frente al espejo alguna de las innumerables máscaras que su capricho venía confeccionando pacientemente en el viejo sótano en que se había instalado en cierta época, ya lejana, de su vida. Era como si la rutina de ostentar nuevas facciones y todo un aire de otredad predispuesta se le hubiera hecho carga insoportable con los años, sin que el propio rostro o el de una persona cualquiera que se cruzara en su camino le ofrecieran más compañía. No soportaba, pues, la particularidad de las facciones, las fisonomías reconocibles, cualquier indicio de identidad que en otros habría sido motivo de regocijo y puente tendido hacia la camaradería. Su propio rostro había llegado a ser una de tantas máscaras memorizadas y rechazadas con rigor, primero, y más adelante con la lenta sabiduría que da el reconocimiento de la propia soledad.

Por eso salía solo a ciertas horas del día, buscando la armonía inexplicable pero grata de su cuerpo con la sombra. Una sombra siempre más larga o más corta, más gorda o más delgada que él. Como si fuera, pues, otra persona que hacía el mismo breve recorrido, acompañándolo, escuchándolo. Y un buen día notó que

a pesar de ser correcto el juego de luces y sombras que el sol y la hora permitían, se había quedado solo. Más solo que cuando reconocía la soledad en los ojos tristes que le devolvían la mirada en el espejo. Más solo que cuando en la noche trataba inútilmente de soñar y sólo le venían ráfagas de vacío. De un vacío más tajante que el que lo acompañaba todos los días oscuros o de lluvia cuando era imposible recrearse en la sombra. Y entonces, petrificado por el miedo, temblando como si la fiebre de una enfermedad remotamente oriental le clavara los filosos dientes, se fue doblando sobre sí mismo, achicándose, disminuyendo la dimensión vital de su ser. Hasta que desapareció por completo frente a las ya inmediatas narices de los dos hombres que lo habían estado siguiendo durante meses. Frente a la sorpresa de los agentes secretos de un país enemigo que estaban convencidos de que el oscuro fabricante de máscaras era dueño de un arma capaz de hacer que cualquier mortal perdiera el juicio al ponerse a caminar, lentamente y hablando solo, por las más solitarias calles de la ciudad. ⋯⋯⋮
●

Enrique Jaramillo Levi nació en Colón en 1944.
Obras: Duplicaciones. *Cuentos (1973);* El búho que dejó de latir. *Cuentos (1974);*
Ahora que soy él. *Cuentos (1985);* El fabricante de máscaras. *Cuentos (1992);*
La voz despalabrada. *Poesía (1994);* Tocar fondo. *Cuentos (1996);*
Caracol y otros cuentos. *(1998).*

La casa muda

a Gris

Tocó el timbre sin entusiasmo, pero con la secreta esperanza de que, por esa vez, al menos, las cosas fueran distintas. No podía ser que el día prosiguiera tan absurdamente idéntico: "¡Ya le dije que nada, que no quiero nada! ¡Lárguese!"; que ni la tarde acabara bien: "¡Pase usted! ¡No faltaba más! ¡Tanta falta que nos hacía algo así! Pero siéntese, hombre, no se quede ahí. ¡Vaya, por Dios, con lo cansado que se ve!" Ojalá el haber pulsado tres veces el timbre cambiara su suerte. Algunos recomendaban hacerlo para que la gente abriera de buen humor. Ojalá... Le vino a la mente una de esas historias de mala suerte y de cómo ésta terminó cuando la víctima le cortó la cola a un gato negro la medianoche de un viernesanto. Sonrió. Si en verdad resultara. Todo es cuestión de fe, de decir, por ejemplo: "Hago esto para que acabe mi mala suerte". Sin embargo, lo del timbre no iba a servir. Estaba seguro. Porque algo –quizá el día nublado o la sensación de soledad y frío que la noche anterior lo mantuvo despierto hasta muy tarde–, lo inducía al pesimismo, a suponer que nada sería halagüeño, que nuevamente una mujeruca desgreñada y roñosa lo mandaría al demonio. Eso en el mejor de los casos; en el peor, salía una bestia con trazas de insomne o de alcohólico y... Estaba convencido de que no sería de otro modo, así el día se prolongase por siglos y visitara todas las casas de todas las calles de todas las ciudades de la Tierra. No obstante, una especie de hastío o de anhelo lo impelía a insistir, a seguir llamando, aunque dentro de sí comenzaban a crecer el fracaso y ese extraño júbilo de la desilusión, tan intenso como el de la alegría y quizá más legítimo.

Volvió a tocar y de nuevo el sonido del timbre horadó las profundidades de la casa. Ahora comenzarían los carraspeos, los roces de pies, los "ya voy" y, finalmente, escucharía el chasquido de la cerradura, pero la llamada no provocó ninguna reacción en la vivienda. Seguramente su inquilina era alguna anciana solitaria, dueña de varios gatos, de maceteros con dalias y orquídeas, y tal vez de un perico; también podía ser habitada por algún excéntrico, enemigo de coloquios y visitas. Pero, entonces, ¿para qué el timbre?

El mutismo de la casa fue lo último que esperó. Podía aceptar el mal tiempo, el trajín, las injurias, etcétera (en cierto modo, eso era parte del oficio), pero que hasta las casas lo desdeñaran era el colmo de la humillación. Eso estaba más allá del infortunio, de toda tolerancia, de la propia dignidad. El día no podía terminar de esa manera, en un silencio húmedo y escandalosamente neutro. Era preciso insistir hasta que alguien saliera a mandarlo a la perra que lo parió. O podía ser a la gallina o a la zorra; no importaba. Pero, por lo menos, eso sería un testimonio de vida, de gente: un instante de comunicación y compañía bajo la lluvia.

Por tercera vez pulsó el timbre, aunque virtualmente desinteresado de todo propósito comercial. Porque ya lo importante no era vender, sino que abrieran; eso era lo único que realmente importaba. No vender; no mostrar; no discutir. Todo eso era superfluo. Lo esencial era que abrieran, así fuese para gritarle: "¡No joda y váyase al carajo!", o cualquier cosa que lo rescatara de esa calle mojada, de esa tarde podrida y gris perdiéndose hacia arriba y detrás de las casas, en los desagües, en la boca y en los pasos de ese hombre que sostenía un gran paraguas negro; algo que, aunque fuese fugazmente, lo incorporase al verdadero mundo de los hombres. Eso era. Algo que lo aliviara de esa sensación de muerte que, a lo largo de años, había ido espesándose dentro de sí. Tocó, volvió a tocar, pero nada. Más bien, con cada timbrazo, sintió aumentar el silencio, casi lo sentía fluir por debajo de la puerta.

Pensó que lo mejor era prescindir del timbre y llamar directamente a la puerta. Sus puños golpearon, una y otra vez, contra la madera, mas todo siguió igual. Entonces un rencor oscuro comenzó a formarle una bola en el estómago. ¡Ya verán si abren o no! Puso a un lado su maletín con muestras de cosméticos y detergentes. ¡Abran, infelices cabrones! ¡Abran, desgraciados! ¡Abran! Y continuó golpeando y pateando hasta que los vecinos acudieron, alarmados, y lo sujetaron mientras llegaba la policía.

Luego declararon que, en verdad, les sorprendía mucho que el vendedor hubiera llamado a su propia puerta en esa forma. En años de vivir allí, jamás había observado una conducta tan desusada. Pero lo más sorprendente, agregaron, era el hecho que hubiese llamado, porque el vendedor era soltero y siempre había vivido solo. Absolutamente solo. ....

Dimas Lidio Pitty nació en Potrerillos en 1941.
Obras: Estación de navegantes. *Novela (1974);* El centro de la noche. *Cuentos (1977);*
Los caballos estornudan en la lluvia. *Cuentos (1978).*

·Paraguay

• Halley Mora

Genealogía

Una raza más agresiva de monos expulsó de los árboles a otra raza más pacífica y conformista. La Tribu vencida se exilió de la arboleda y fue a instalarse en la llana tierra. Pero allí, el pastizal era alto y tupido y para verse unos a otros y para observar el peligro, los monos derrotados tuvieron que aprender a andar erguidos, sobre dos patas. Y fue así que sin proponérselo, los conquistadores de los árboles, partiendo del pariente más infeliz, inventaron al Hombre, que se vengaría conquistando al Mundo.

MARIO HALLEY MORA

En el origen

El fruto que había arrancado tenía sabroso aspecto, pero la cáscara era dura. Entonces, en la mente elemental surgió una idea: podía golpear el fruto con una piedra y romper la envoltura. Así lo hizo con éxito, e inventó de esta manera la primera herramienta: el martillo. Contento, fue a buscar otro fruto. Lo halló y al repetir la operación se aplastó el dedo. Entonces, inventó la primera palabrota. ....

Mario Halley Mora nació en Coronel Oviedo en 1926.
Obras: La quema de Judas. *Novela (1965);* Los hombres de Celina. *Novela (1983);*
Los habitantes del abismo. *Cuentos (1989);* Amor de invierno. *Novela (1992);*
Ocho mujeres. *Novela (1995);* Los demás. *Novela (1995).*

·Perú

- Díaz Herrera
- Gálvez Ronceros
- Loayza

El encuentro

E ran el alba y el primer canto del gallo, cuando los dos hermanos se encontraron con sus equipajes a la espalda en las puertas de su casa. Y el uno dijo: ¿Tú también abandonarás a nuestro padre? Y el otro, como si no hubiese escuchado la pregunta, replicó: ¿Tú también abandonarás a nuestro padre? Y echando sus bultos al suelo retornaron a sus habitaciones, mientras el anciano dormía en paz, como si el alba aún estuviera lejana.

Jorge Díaz Herrera nació en Cajamarca en 1941.
Obras: Los duendes buenos. *Teatro (1964);* Parque de leyendas. *Cuentos para niños (1965);*
Alforja de ciego. *Cuentos (1979);* Mi amigo caballo. *Cuento para niños (1980);*
La agonía del inmortal. *Novela (1985);* Por qué morimos tanto. *Novela (1990).*

Miera

En el camino que lleva al sembrado de camotes el negro don Andrés supo que en los últimos días el caporal Basaldúa se había puesto a hablar feas cosas de él. Mientras compraba plantas en el sembrado y llenaba de camotes los serones de su burro, le dijeron lo mismo. Entonces no aguantó más: trepó al burro de un salto y enderezó por un atajo hacia la casa del caporal. Pero ahí le dijeron que se había ido a vigilar unos riegos en la Punta de la Isla y que volvería una semana después. Sin decir nada pero aguantándose, don Andrés regresó rápidamente a su casa, se bajó casi arrojándose del burro, lo dejó plantado con los serones cargados, se metió corriendo en la primera habitación y llamó a su hija mayor:

—¡Patora! —los labios se le habían hinchado y parecían pelotas.

Saliendo de la habitación contigua, Pastora se presentó alarmada.

—Patora, tú que sabe equirbí, hame una cadta pa mandásela hata la Punta e la Ila a ese caporá Basadúa, que nuetá acá y sia ido pallá depué quiabló mal de mí. Yo te vua decí qué vas a poné en er papé.

—Ya, tata, vua traé papé y lápice —dijo la hija. Se metió en los interiores de la casa y poco después regresó.

—Ponle ahí, Patora —dijo don Andrés—, que su boca es una miera, que su diente esota miera, su palaibra un montón de miera... Miera esa mula que monta. Miera su epuela. Miera su rebenque. Miera el sombreiro con quianda. Miera esa cotumbe e miera diandá mirando tabajo ajeno... Léemela, Patora, a ve qué fartra.

Cuando la hija acabó de leer, don Andrés tenía un gesto de duda como si ya no confiara del todo en sus propias palabras.

—Oye, Patora —dijo finalmente—, quítale un poco e miera a ese papé.

El mar, el machete y el hombre

El machete es un pescao que nadie puee comé: la mar lo hizo casi de pura epina que metió a la diabra en unas hilachas de caine.

Cuadquié pescao depué de comelo queda así:

El machete no. Quien tenga un día entero y mucha pacencia, que coma machete. No comerá naa y al final verá quel tal machete había sido eto:

¿Pa qué sirve un pescao así, tan atravesao de epina?

A vece la mar e como algunos hombes: hace cosas sólo poi joré.

Y al machete lo jorió. Y así jorió al hombe, que se jorió con ese pescao.

Antonio Gálvez Ronceros nació en Chincha en 1932.
Obras: Los ermitaños. Cuentos (1962);
Monólogo desde las tinieblas. Cuentos (1975).

El avaro

Sé que cuando voy por la calle y un conversador se inclina al oído de otro y disimuladamente me señala, está diciendo que soy el avaro. Sé que cuando llega un traficante de telas o mujeres o vinos y pregunta por los hombres de fortuna, me nombran pero añaden: "no comprará nada, es avaro".

Es verdad que amo mis monedas de oro. Me atraen de ellas su peso, su color —hecho de vivaces y oscuros amarillos—, su redondez perfecta. Las junto en montones y torres, las golpeo contra la mesa para que reboten, me gusta mirarlas guardadas en mis arcas, ocultas del tiempo.

Pero mi amor no es sólo a su segura belleza. Tantas monedas, digo, me darán un buey, tantas un caballo, tierras, una casa mayor que la que habito. Con uno de mis cofres de objetos preciosos puedo comprar lo que muchos hombres creen la felicidad. Este poder es lo que me agrada sobre todo y el poder se destruye cuando se emplea. Es como en el amor: tiene más dominio sobre la mujer el que no va con ella: es mejor amante el solitario.

Voy hasta mi ventana a mirar, perfiladas en el atardecer, las viñas del vecino; la época las inclina hacia la tierra cargadas de racimos apetecibles. Y es lo mejor desearlos desde acá, no ir y hastiarse de su dulce sabor, de su jugo. ....

Luis Loayza nació en Lima en 1934.
Obras: El avaro. Cuentos (1955); Una piel de serpiente. Novela (1964);
El Sol de Lima. Ensayos (1974); Otras tardes. Cuentos (1985); Sobre el 900. Ensayos (1990).

PUERTO RICO

- COTTO MEDINA
- GONZÁLEZ
- VEGA

El contrato

Tendría que ser una muerte rápida y silenciosa. Esa era la única condición del contrato, que era inviolable. Los dos hombres accedieron, recogieron su dinero, me tendieron la mano y se marcharon. Yo salí por la otra puerta lleno de regocijo. Habíamos logrado cerrar el negocio en un ambiente anónimo, al amparo de las sombras, sin reconocernos claramente.

El homicidio no ocurriría sino hasta tres meses después. Pero, para asegurarme de que la tarea se llevaría a cabo tal y como yo deseaba, contraté los hampones de antemano. Eran hombres ocupadísimos. Desde que el maritaje entre narcos y políticos se materializó, no habían tenido mucho espacio disponible para realizar encargos de menor cuantía. Acordamos que el resto del dinero lo recibirían dos días después de la fecha determinada.

Su tarea no era difícil. El cinco de abril por la mañana, llegaría a San Juan un hombre procedente de Miami. El individuo se hospedaría en un hotel del sector turístico de la ciudad (cuyo nombre y número de cuarto yo les haría llegar unas horas antes de la fecha en que vencía el pacto). Una vez que ellos obtuvieran toda la información, irían al hotel disfrazados de cualquier cosa, se inventarían una excusa para subir hasta el cuarto de la víctima y lo matarían. El individuo estaría sentado en un sillón, aspirando el aroma del jerez y mirando hacia el mar. (Uno de los hampones me preguntó que cómo era que yo sabía ese detalle y yo le dije que los victimarios siempre conocemos alguna manía especial de nuestras víctimas.)

Han pasado tres meses. Ayer les llegó una carta a los hombres que contraté con las señales y especificaciones necesarias para que todo salga según lo planificado. El individuo llegará en el vuelo 398 de Mexicana de Aviación procedente de Ciudad México con escala en Miami. La víctima vestirá traje azul, zapatos negros y corbata azuligris. Se hospedará en el nuevo hotel La Buena Vida del Condado, habitación 365-C.

Hoy es cuatro de abril. Esta mañana fui al correo a echar la carta con el resto del dinero adeudado. Luego me fui de compras. Estaba tan ansioso que tropecé en un rincón de una tienda, caí de bruces y me partí un labio. Descubrí, sorprendido, que la mezcla de ansiedad y dolor me producía un placer insospechado.

Ahora se desangra la tarde, y me gozo su caída y su tristeza. Me encuentro en un hotel de Key West, dejando que mi vista vuele como un pájaro errante sobre las crestas erizadas de un mar bravo y huraño; imaginando emocionado, la lenta agonía de las nubes estériles que arden en el cielo; contemplando el vaivén de mi vestimenta azul, sobre el espejo azulenco de las aguas. Estoy tomando jerez caliente, aspirando su delicado aroma y humedeciendo con la punta de la lengua la sonrisa que durante toda la tarde se ha pasado bailándome en los labios. Honro con ella la originalidad de mis ideas.

Porque por fin he podido hacer lo que siempre soñé: inventarme un suicidio que estuviera cargado de emoción y suspenso, y que dos miserables soldados de la muerte ejecutaran por mí. ....

Celestino Cotto Medina nació en Aguas Buenas en 1945.
Obras: Niñerías de los años cincuentípico. *Cuentos (1989);*
Sobre vivos y muertos y locos. *Cuentos (1995).*

La carta

A Graciana y Miranda Archilla

San Juan, puerto Rico
8 de marso de 1947

Qerida bieja:

Como yo le desía antes de venirme, aquí las cosas me van vién. Desde que llegé enseguida incontré trabajo. Me pagan 8 pesos la semana y con eso vivo como don Pepe el administradol de la central allá.

La ropa aqella que quedé de mandale, no la he podido compral pues quiero buscarla en una de las tiendas mejores. Digale a Petra que cuando valla por casa le boy a llevar un regalito al nene de ella.

Boy a ver si me saco un retrato un día de estos para mandálselo a uste.

El otro dia vi a Felo el hijo de la comai María. El esta travajando pero gana menos que yo.

Bueno recueldese de escrivirme y contarme todo lo que pasa por alla.

Su ijo que la qiere y le pide la bendisión,

Juan

Después de firmar, dobló cuidadosamente el papel ajado y lleno de borrones y se lo guardó en el bolsillo de la camisa. Caminó hasta la estación de correos más próxima, y al llegar se echó la gorra raída sobre la frente y se acuclilló en el umbral de una de las puertas. Dobló la mano izquierda, fingiéndose manco y extendió la derecha con la palma hacia arriba.

Cuando reunió los cuatro centavos necesarios, compró el sobre y el sello y despachó la carta. ....

José Luis González nació en Santo Domingo en 1926 y murió en 1996.
Obras: En la sombra. *Cuentos (1943);* 5 cuentos de sangre. *(1945);*
El hombre de la calle.*Cuentos (1948);* Paisa. *Novela (1950);*
En Nueva York y otras desgracias. *Cuentos (1973);*
Balada de otro tiempo. *Novela (1978);*
El país de cuatro pisos y otros ensayos *(1980);*
La luna no era de queso. *Autobiografía (1988).*

Salto vital

El edificio es viejo y bello. El cielo le hace un marco azul añil. Un día así no se merece esto. Los bomberos extienden los colchones. Alguna gente se retira un poco. Otros se quedan cerca, desafiando al guardia que los saca del medio. Hace un calor de madre. Me recuesto del muro. Veo puntos negros.

Se oye la ambulancia por sobre las bocinas del tapón. La brisa me refresca, se me pasa el mareo. Un hombre bien trajeado, serio, cuarentón, se apea de un Volvo negro. Pide un altoparlante, se lo dan. Un psiquiatra: los conozco de verlos. Mi nombre y apellido: cómo no. Mi edad: muy bien. Mi dirección: hasta ahí llego. Es la estrategia de la distracción, la treta del detalle concreto. El loquero me ruega, me ordena, me aconseja. A cada frase suya me inclino en el alero. La gente grita. Desplazan el colchón. Estoy gateando justo al borde. Me quito los zapatos con los pies. La brisa aprieta y me levanta el pelo. Debe verse bonito desde abajo. Siento que me abandona el miedo.

Los guardias ya están en la azotea. La gente los señala con el dedo. Viro la cabeza y los distingo, a punto de saltar sobre el alero. Gateo de un lado a otro, haciendo tiempo, y se mueven conmigo los bomberos.

Entonces alguien grita desde allá y no lo puedo ver porque me ciega el pelo. Pero es un muchachito y la voz se le quiebra y en ella no hay malicia, sólo juego:

—¡Acaba de tirarte que se me va la guagua!

En lo que me preparo a complacerlo, ya los guardias me tienen por las piernas. Telón mientras la gente nos aplaude. El psiquiatra declara, satisfecho, para los periodistas que llegaron tarde. Habrá un chico aburrido que se aleje pateando una chapita de refresco.

Y aquí estoy otra vez. Será otro día. ....

Ana Lydia Vega nació en 1946 en Santurce.
Obras: Vírgenes y mártires. *Cuentos (1981);* Encancaranublado y otros cuentos de naufragio. *(1983);*
Pasión de historia y otras historias de pasión. *Cuentos (1987);*
El tramo ancla. *Ensayos (1988);* Falsas crónicas del sur. *Cuentos (1991);*
Esperando a Loló y otros delirios generacionales. *Ensayos (1994).*

REPÚBLICA DOMINICANA

- Díaz Grullón
- Rueda
- Veloz Maggiolo

VIRGILIO DÍAZ GRULLÓN

La broma póstuma

Durante toda su vida había sido un bromista consumado. De modo que aquel día en que visitaba el museo de figuras de cera recién instalado en el pueblo y se encontró frente a frente con una copia exacta de sí mismo, concibió de inmediato la más estupenda de sus bromas. La figura representaba un oficial del ejército norteamericano de principios del siglo pasado y formaba parte de la escenificación de una batalla contra indios pieles rojas. Aparte de que el color de sus propios cabellos era algo más claro, el parecido era tan completo que sólo con teñirse un poco el pelo y maquillarse el rostro para darle la apariencia cetrina del modelo, lograría una similitud absolutamente perfecta entre ambos. En la madrugada del siguiente día, luego de haberse transformado convenientemente, se introdujo a escondidas en el museo, despojó a la figura de cera de su raído uniforme vistiéndose con éste y escondió aquélla, junto con su propia ropa, en una alacena del sótano. Luego tomó el lugar del soldado en la escena guerrera y, asumiendo su rígida postura, se dispuso a esperar los primeros visitantes del día anticipándose al placer de proporcionarles el mayor susto de sus vidas.

Cuando, al cabo de dos horas, tomó conciencia de su incapacidad de movimiento la atribuyó a un calambre pasajero. Pero al comprobar que no podía mover ni un dedo, ni pestañear, ni respirar siquiera, adivinó, presa de indescriptible pánico, que su parálisis total duraría eternamente y que ya el soldado que había encerrado en el sótano, después de vestirse con la ropa que estaba a su lado, había abierto la puerta de la alacena e iniciaba los primeros pasos de una nueva existencia. ....

Virgilio Díaz Grullón nació en Santiago en 1924.
Obras: Un día cualquiera. *Cuentos (1958);* Crónicas de Altocerro. *Cuentos (1966);*
Más allá del espejo. *Cuentos (1975);* Los algarrobos también sueñan. *Novela (1977);*
Antinostalgia de una era. *Novela (1989).*

La noche

Es la noche, oscura como el antifaz de los asesinos. Muy cerca se oye un grito de terror, luego un disparo que lo silencia. Ninguna de nuestras ventanas se ha abierto; todos temblamos en el interior, absteniéndonos de ser testigos de un hecho que más tarde podría comprometernos. Un automóvil arranca y se pierde a lo lejos con su carga de muerte. En la esquina alguien agoniza en medio de un gran charco de sangre. A su alrededor un vecindario de culpables trata en vano de conciliar el sueño.

Manuel Rueda nació en Santo Domingo en 1921.
Obras: Tríptico. *Cuentos (1949);* Beatriz hace un milagro. *Drama (1968);*
Con el tambor de las islas. *Poesía (1974);* El rey Clinejas. *Novela (1979);*
Papeles de Sara y otros relatos. *Cuentos (1985);*
Congregación del cuerpo único. *Poesía (1989).*

El soldado

Había perdido en la guerra brazos y piernas. Y allí estaba, colocado dentro de una bolsa con sólo la cabeza fuera. Los del hospital para veteranos se compadecían mientras él, en su bolsa, pendía del techo y oscilaba como un péndulo medidor de tragedias. Pidió que lo declarasen muerto y su familia recibió, un mal día, el telegrama del Army: "Sargento James Tracy, Vietnam, murió en combate".

La madre lloró amargamente y pensó para sí: "hubiera yo preferido parirlo sin brazos ni piernas; así jamás habría tenido que morir en un campo de batalla".

El maestro

El maestro —cuya labor se desenvolvía entre el conuco y el aula— se llevó el libro debajo del sobaco, y el calor derritió entonces las palabras, y las imágenes de colores de los padres de la patria rodaron convertidas en melcocha por debajo de la camisa caliente y pedagógica; las ciudades de la página 32 se poblaron de agrios olores sudorosos, y los pistilos y corolas abandonaron ya en la página 95, el marco blanco de las hojas.

Cuando el maestro quiso sacar su libro para leer la lección del día, comprobó que sus alumnos recogían los capítulos en vasijas de barro y que sólo colocándolos a la luz y el calor del sol la sequedad anterior se recuperaba en una mezcla de temas y paisajes que eran ya un tipo de saber diferente al que el maestro había durante años explicado.

Marcio Veloz Maggiolo nació en Santo Domingo en 1936.
Obras: De abril en adelante. *Novela (1984);*
Cuentos, recuentos y casi cuentos *(1986);*
Materia prima. *Novela (1988);* Ritos de cabaret. *Novela (1991);*
Trujillo, Villa Francisca y otros fantasmas *(1996).*

El maestro

·Uruguay

- Eyherabide
- Galeano
- Peri Rossi
- Porzecanski

Enano

"Me llamo Hernán. Soy enano. Estoy acostado en la cama de mi cuarto. El cuarto (en verdad es una bohardilla alquilada a la dueña de casa), es mi casa. Muevo la vista, los ojos, miro a la mesa de luz cuadrada chata, amarronada, oscura, con los diarios encima; miro el cielorraso, con el mismo revoque blanco y las mismas manchas húmedas. Vuelvo a mover mis ojos, la vista, y a ver las cuadradas paredes, con dos ventanas que dan a la calle, a través de las cuales veo el mismo techo gris pizarra de la casa que está frente a la mía (perdón, de la dueña de casa). Pero nada de eso me importa ya. En unos pocos días más, me caso. Tengo con mi novia (la que va a ser mi mujer), amueblada, la nueva casa. Compré muebles 'Provenzal Francés'. No me gustan los americanos modernos. Está en un barrio residencial, si se quiere, y a pocas cuadras del mar. Problemas económicos no vamos a tener. No. Tengo un quiosco de ventas de cigarrillos, revistas, bueno, todo eso; y además llevo quinielas y vendo lotería. No, problemas económicos no vamos a tener. Ya sé lo que están pensando. No. No es eso. Tengo, tenemos, buenos amigos. Diría yo, muy buenos amigos. Lo que me preocupa (me aterroriza) es otra cosa (cuando 'veo' que vamos a entrar a la Capilla y después para toda la vida). Es que mi novia es alta. No muy alta. Pero es alta; casi normal. Y yo soy enano."

"Mi nombre es Elena (María Elena). Ahora, es casi de noche y coso. Soy costurera. Durante ocho horas trabajo en una fábrica. Y al volver a casa, trabajo en una cosedora que compré con mis ahorros, unas horas más. No, no siempre fue así. No se puede trabajar todo el día. No hay quien lo pueda soportar. Lo hago ahora, por una cosa que vale la pena: me voy a casar. Cualquier trabajo, por más duro que sea (estoy trabajando catorce horas diarias), vale con tal de salir de aquí, de este cuarto donde vivo desde hace once años. Once años en un cuarto, un altillo (con un jarrón y una sola rosa roja). Viendo un día tras otro las mismas tejas de la casa de enfrente, ante mí. Sola. No, por favor… no crean que me caso sólo por eso. Y por no ver más a la dueña de casa. No. Me caso porque pienso… Pienso que estoy enamorada de él. Lo quiero. Vamos a tener una casa amueblada. A trabajar como Dios manda. A pasear los sábados de tarde y los domingos, y vamos… no… a tener hijos, no sé… Pero eso no importa. Ya se verá. Lo que me preocupa (me aterra a ratos; cuando 'veo' la entrada en la Capilla, él alto de traje negro y yo pequeñita, de vestido blanco y todos los años por venir después); es que él es alto. Alto: normal. Y yo, yo soy enana."……….

•

Gley Eyherabide nació en Melo en 1934.
Obras: El otro equilibrista. *Cuentos (1967);* En la Avenida. *Novela (1970);*
Gepeto y las palomas. *Novela (1972);* Todo el horror. *Cuentos (1986);*
Juego de pantallas. *Novela (1987);* En el zoo. *Novela (1988).*

El pequeño rey zaparrastroso

Tarde a tarde, lo veían. Lejos de los demás, el gurí se sentaba a la sombra de la enramada, con la espalda contra el tronco de un árbol y la cabeza gacha. Los dedos de su mano derecha le bailaban bajo el mentón, baila que te baila como si él estuviera rascándose el pecho con alevosa alegría, y al mismo tiempo su mano izquierda, suspendida en el aire, se abría y se cerraba en pulsaciones rápidas. Los demás le habían aceptado, sin preguntas, la costumbre.

El perro se sentaba, sobre las patas de atrás, a su lado. Ahí se quedaban hasta que caía la noche. El perro paraba las orejas y el gurí, con el ceño fruncido por detrás de la cortina del pelo sin color, les daba libertad a sus dedos para que se movieran en el aire. Los dedos estaban libres y vivos, vibrándole a la altura del pecho, y de las puntas de los dedos nacía el rumor del viento entre las ramas de los eucaliptos y el repiqueteo de la lluvia sobre los techos, nacían las voces de las lavanderas en el río y el aleteo estrepitoso de los pájaros que se abalanzaban, al mediodía, con los picos abiertos por la sed. A veces a los dedos les brotaba, de puro entusiasmo, un galope de caballos: los caballos venían galopando por la tierra, el trueno de los cascos sobre las colinas, y los dedos se enloquecían para celebrarlo. El aire olía a hinojos y a cedrones.

Un día le regalaron, los demás, una guitarra. El gurí acarició la madera de la caja, lustrosa y linda de tocar, y las seis cuerdas a lo largo del diapasón. La probó, la guitarra sonaba bien. Y él pensó: qué suerte. Pensó: ahora, tengo dos. ...... •

Eduardo Galeano nació en Montevideo en 1940.
Obras: Los fantasmas del día del león y otros relatos *(1967);*
Las venas abiertas de América Latina. *Ensayo (1971);* Vagamundo. *Cuentos (1973);*
La canción de nosotros. *Novela (1975);* Las palabras andantes. *Prosa poética (1993);*
El fútbol a sol y sombra. *Ensayo (1995);* Las aventuras de los jóvenes dioses. *(1998).*

Punto final

Cuando nos conocimos, ella me dijo: "Te doy el punto final. Es un punto muy valioso, no lo pierdas. Consérvalo, para usarlo en el momento oportuno. Es lo mejor que puedo darte y lo hago porque me mereces confianza. Espero que no me defraudes". Durante mucho tiempo, tuve el punto final en el bolsillo. Mezclado con las monedas, las briznas de tabaco y los fósforos, se ensuciaba un poco; además, éramos tan felices que pensé que nunca habría de usarlo. Entonces compré un estuche seguro y allí lo guardé. Los días transcurrían venturosos, al abrigo de la desilusión y del tedio. Por la mañana nos despertábamos alegres, dichosos de estar juntos; cada jornada se abría como un vasto mundo desconocido, lleno de sorpresas a descubrir. Las cosas familiares dejaron de serlo, recobraron la perdida frescura, y otras, como los parques y los lagos, se volvieron acogedoras, maternales. Recorríamos las calles observando cosas que los demás no veían y los aromas, los colores, las luces, el tiempo y el espacio eran más intensos. Nuestra percepción se había agudizado, como bajo los efectos de una poderosa droga. Pero no estábamos ebrios, sino sutiles y serenos, dotados de una rara capacidad para armonizar con el mundo. Teníamos con nuestros sentidos una singular melodía que respetaba el orden del exterior, sin sujetarse a él.

Con la felicidad, olvidé el estuche, o lo perdí, inadvertidamente. No puedo saberlo. Ahora que la dicha terminó, no encuentro el punto final por ningún lado. esto crea conflictos y rencores suplementarios. "¿Dónde lo guardaste? —me pregunta ella, indignada— ¿Qué esperas para usarlo? No demores más, de lo contrario, todo lo anterior perderá belleza y sentido." Busco en los armarios, en los abrigos, en los cajones, en el forro de los sillones, debajo de la mesa y de la cama. Pero el punto no está; tampoco el estuche. Mi búsqueda se ha vuelto tensa, obsesiva. Es posible que lo haya extraviado en alguno de nuestros momentos felices. No está en la sala, ni en el dormitorio, ni en la chimenea. ¿El gato se lo habrá comido?

Su ausencia aumenta nuestra desdicha de manera dolorosa. En tanto el punto no aparezca, estamos encadenados el uno al otro, y esos eslabones están hechos de rencor, apatía, vergüenza y odio. Debemos conformarnos con seguir así, desechando la posibilidad de una nueva vida. Nuestras noches son penosas, compartiendo la misma habitación, donde el resquemor tiene la estatura de una pared y asfixia, como un vapor malsano. Tiñe los muebles, los armarios, los libros dispersos por el suelo. Discutimos por cualquier cosa, aunque los dos sabemos que, en el fondo, se trata de la desaparición del punto, de la cual ella me responsabiliza. Creo que a veces sospecha que en realidad lo tengo, escondido, para vengarme de ella. "No debí confiar en ti —se reprocha—. Debí imaginar que me traicionarías".

Era un estuche de plata, largo, de los que antiguamente se usaban para guardar rapé. Lo compré en un mercado de artículos viejos. Me pareció el lugar más adecuado para guardarlo. El punto estaba allí, redondo, minúsculo, bien acomodado. Pero pasaron tantos años. Es posible que se extraviara durante una mudanza, o quizás alguien lo robó, pensando que era valioso.

Luego de buscarlo en vano casi todo el día, me voy de casa, para no encontrar su mirada de reproche, su voz de odio. Toda nuestra felicidad anterior ha desaparecido, y sería inútil pensar que volverá. Pero tampoco podemos separarnos. Ese punto huidizo nos liga, nos ata, nos llena de rencor y de fastidio, va devorando uno a uno los días anteriores, los que fueron hermosos.

Sólo espero que en algún momento aparezca, por azar, extraviado en un bolsillo, confundido con otros objetos. Entonces será un gordo, enlutado, sucio y polvoriento punto final, a destiempo, como el que colocan los escritores noveles. ....

●

Cristina Peri Rossi nació en Montevideo en 1941.
Obras: Viviendo. *Cuentos (1963);* Los museos abandonados. *Cuentos (1969);*
Evohe. *Poesía (1971);* La tarde del dinosaurio. *Cuentos (1976);* Lingüística general. *Poesía (1979);*
Cosmogonías. *Cuentos (1988);* Babel bárbara. *Poesía (1991).*

Inoportuno

Ahora no quiero que nadie me venga a decir lo que es la vida. Ahora no quiero que una larga explicación/receta/repertorio me presente las cosas como comprensibles. Todo empezó cuando tomé aquel autobús hacia el centro y me senté a su lado. No sé si había empezado a hablar antes de que yo llegara o hablaba recién en ese mismo momento, pero su cháchara no tenía ni pausa ni respiro. Farfullaba. Emitía palabras como lo haría un locutor de radio pasando propaganda, pero el sentido de lo que decía quedaba fuera de todo significado. Miraba rígidamente hacia adelante, indiferente al recorrido del ómnibus, a sus tropiezos y frenadas, indiferente a mí que no hacía sino escucharlo. Indiferente. Hablaba. Decía de un país que había extraviado su memoria, un país indeterminado donde habían ocurrido cosas irrecordables. Una enorme nube había cubierto la visibilidad, y a lo largo de muchos años, cada día parecía totalmente despegado del anterior, como un ensayo nuevo y sin precedentes. La historia toda de ese país se había fragmentado y disuelto en anécdotas volátiles. Pero lo más curioso era que la gente había perdido sus rostros. Cada expresión de cada uno se había esfumado para dar lugar a un desierto donde un plano sin muecas oficiaba de cara. Como todos lucían iguales nadie notaba ni se sorprendía si alguien faltaba. Se sabía que había cada vez menos gente porque el alimento, a pesar de ser escaso, siempre alcanzaba, y porque quedaban lugares vacíos en los estadios deportivos y porque siempre llegaban más y más señales/cartas/telegramas enviados desde lejos, desde otros países, donde los individuos sin rasgos habían ido a buscar aliento/impulso/comida y sobre todo, un rostro o al menos una leve expresión que les devolviera un tibio reconocimiento.

Ahora que lo pienso, ese viejo tal vez supiera de lo que estaba hablando.

Teresa Porzecanski nació en Montevideo en 1945.
Obras: El acertijo y otros cuentos *(1967);* Esta manzana roja. *Prosa y poesía (1972);*
La invención de los soles. *Novela (1981);* Ciudad impune. *Cuentos (1986);*
Perfumes de Cartago. *Novela (1998);* Nupcias en familia y otros cuentos. *(1998).*

VENEZUELA

- JIMÉNEZ EMÁN
- MACHADO
- QUINTERO
- SEQUERA

Los brazos de Kalym

Kalym se arrancó los brazos y los lanzó a un abismo. Al llegar a su casa, su mujer le preguntó sorprendida: "¿Qué has hecho con tus brazos?".

—Me cansé de ellos y me los arranqué —respondió Kalym.

—Tendrás que ir a buscarlos; vas a necesitarlos para el almuerzo. ¿Dónde están?

—En un abismo, muy lejos de aquí.

—¿Y cómo has hecho para arrancártelos?

—Me despegué el derecho con el izquierdo y el izquierdo con el derecho.

—No puede ser —respondió su mujer—, pues necesitabas el izquierdo para arrancarte el derecho, pero ya te lo habías arrancado.

—Ya lo sé, mujer; mis brazos son algo muy extraño. Olvidemos eso por ahora y vayamos a dormir —dijo Kalym abrazando a su mujer. ....

Gabriel Jiménez Emán nació en Caracas en 1950.
Obras: Los dientes de Raquel. Cuentos (1973); Saltos sobre la soga. Cuentos (1975);
La isla del otro. Prosa lírica (1979); Los 1.001 cuentos de una sola línea (1981);
Una fiesta memorable. Novela (1990); Tramas imaginarias. Cuentos (1991);
Mercurial. Novela (1994); Biografías grotescas. Cuentos (1997).

Fábula con joroba

Los hombres llegaron a caballo cuando el sol no arrojaba ninguna sombra sobre la arena y la luz tenía la consistencia del oro derretido. Vestían con cierto lujo. En el turbante del más viejo refulgía un diamante del tamaño de un higo. Noé observó que en medio de los caballos —enjaezados lujosamente— traían atado a un viejo camello de pelo grisáceo con la nariz perforada por una argolla, de la que tiraba un esclavo tan flaco como el animal. Éste había soportado con resignación todos los maltratos y abusos que se cometían contra él. Sobre la joroba del camello venía atado un pesado bulto, oculto bajo una lona grasienta.

Noé dejó a un lado el trabajo y les trajo agua a las bestias y a los hombres. Miró sus ropas raídas y sintió un poco de vergüenza. El peor de los caballos vestía mejor que él. Luego se adelantó y haciendo a un lado el temor se atrevió a preguntar:

—¿En qué puedo ayudar a tan magníficos señores?

El más viejo de los hombres le respondió.

—Hemos recorrido el desierto expuestos al hambre y a las tormentas de arena para hablar contigo. Sabemos que tu dios —quienquiera que éste sea— no permite la entrada de los ricos a su reino, y que prefiere hacerse acompañar por vagos y prostitutas, antes que por dignatarios. En alguna parte ha escrito esa estúpida frase que es más fácil hacer pasar a un camello por el ojo de una aguja que un rico entrar al reino de los cielos. Nosotros hemos venido hasta aquí para demostrar la pobreza y la locura de tu dios.

Dicho esto, uno de los esclavos desató el bulto del lomo del camello y comenzó con rápidos movimientos a descubrir la lona sobre la arena. Al terminar quedó al descubierto una enorme aguja de varios metros, que necesitó ser movida entre varios hombres.

—Tu dios nunca habló del tamaño de la aguja —dijo uno de los árabes sonriendo maliciosamente.

—¡Traigan al camello! —finalizó.

Colocaron al animal frente al ojo de la aguja y lo ataron con una fuerte soga de la argolla. En el otro extremo un esclavo comenzó a tirar de la cuerda. El camello hundió las patas en la arena y no se movió. Otros esclavos se sumaron al primero, pero el animal se mantenía como clavado al piso. La sangre bajaba por la nariz desgarrada y formaba una mancha oscura en el pecho. Entonces lo golpearon con largas varas de bambú hasta que el camello se derrumbó en silencio sobre la arena manchada de sangre, sin proferir un solo quejido.

Los árabes se marcharon furiosos.

Noé se acercó al camello y comprobó que aún estaba con vida. Luego lo recogieron y lo llevaron al Arca. Allí lo curaron y con el tiempo el camello volvió a ser el de antes. Los que lo conocían tan sólo percibieron algunos cambios insignificantes en su conducta, como el de no acercarse a las mujeres cuando cosían la ropa de los niños, o los sacos de forraje que en el pasado le fueron tan queridos.

De noche, cuando el insomnio no lo dejaba dormir, salía al desierto, y sin que nadie lo observara atravesaba —de un lado a otro— el ojo oxidado de la aguja, que había quedado enterrada en la arena bajo las tinieblas y la luna. Dios tampoco lo veía porque tenía el sueño muy pesado y el camello saltaba en silencio, sin hacer el menor ruido. ....

Wilfredo Machado nació en Barquisimeto, Estado de Lara en 1956.
Obras: Contracuerpo. *Cuentos (1988);* Fábula y muerte de El Ángel. *Cuentos (1991);*
La rosa imaginaria. *Cuentos (1989);* Libro de animales. *Cuentos (1994).*

Tatuaje

Cuando su prometido regresó del mar, se casaron. En su viaje a las islas orientales, el marido había aprendido con esmero el arte del tatuaje. La noche misma de la boda, y ante el asombro de su amada, puso en práctica sus habilidades: armado de agujas, tinta china y colorantes vegetales dibujó en el vientre de la mujer un hermoso, enigmático y afilado puñal.

La felicidad de la pareja fue intensa, y como ocurre en esos casos: breve. En el cuerpo del hombre revivió alguna extraña enfermedad contraída en las islas pantanosas del este. Y una tarde, frente al mar, con la mirada perdida en la línea vaga del horizonte, el marino emprendió el ansiado viaje a la eternidad.

En la soledad de su aposento, la mujer daba rienda suelta a su llanto, y a ratos, como si en ello encontrase algún consuelo, se acariciaba el vientre adornado por el precioso puñal.

El dolor fue intenso, y también breve. El otro, hombre de tierra firme, comenzó a rondarla. Ella, al principio esquiva y recatada, fue cediendo terreno. Concertaron una cita. La noche convenida ella lo aguardó desnuda en la penumbra del cuarto. Y en el fragor del combate, el amante, recio e impetuoso, se le quedó muerto encima, atravesado por el puñal.

Ednodio Quintero nació en Las Mesitas, Estado de Trujillo, en 1947.
Obras: La línea de la vida. *Cuentos (1988);* Cabeza de cabra y otros relatos. *Cuentos (1993);*
El rey de las ratas. *Novela (1994);* El combate. *Cuentos (1995);* El cielo de Ixtab. *Novela (1995);*
De narrativa y narradores. *Ensayos (1997)* y Visiones de un narrador. *Ensayos (1997).*

Escena de un spaguetti western circus

Alrededor de una hoguera, un grupo de cowboys comenta la jornada del día. La brisa trae ese aroma estival de las reses que tanto gusta a los coyotes. Alguien propone jugar a las cartas y un mazo de éstas surge de una alforja.

Tras varias partidas, uno de los cowboys se levanta indignado y señalando con el dedo, como el tío Sam, a otro de los presentes, le increpa con desprecio:

--¡Eres un tramposo: te vi sacar ese as de la manga!

--¡No --respondió el increpado--: ningún tramposo. Soy prestidigitador!

--¡Peor! --rugió el otro, extrayendo del cinto su colt.

Una detonación despertó al ganado de sus quimeras alpinas. Un alarido espantó a las lechuzas y puso en guardia a las cascabeles. Un as de corazones se precipitó a las brasas, causando un chisporroteante estampido escarlata.

--¿Cómo saldremos de este cadáver? --quiso saber uno de los testigos.

--No hay problema, yo me encargo de eso --largó el prestidigitador. Y con un pase mágico envió al cuerpo, aún tibio, a reunirse con conejos, pañuelos y flores, en el limbo de los magos. ....

Armando José Sequera nació en Caracas en 1953.
Obras: Evitarle malos pasos a la gente. *Cuentos (1982);* El otro salchicha. *Cuentos (1984);*
Escena de un Spaguetti Western. *Cuentos (1986);*
Cuando se me pase la muerte. *Cuentos (1987);* La vida al gratén. *Cuentos (1997).*

Esta edición se terminó de imprimir en el mes de noviembre de 1998
en Companhia Melhoramentos de São Paulo,
Rua Tito, 479 - São Paulo - Brasil